REPÈRES PRATIQUES

D0899439

STYLE *et* RHÉTORIQUE

Claude PEYROUTET

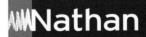

SOMMAIRE

© Nathan, 2002 – ISBN 978-2-09-182440-6

© Nathan, 25 avenue Pierre-de-Coubertin, 75013 Paris, 2013 (pour la présente édition) – ISBN 978-2-09-162824-0

MODE D'EMPLOI

Divisé en six parties, l'ouvrage s'organise par doubles pages.
Chaque double page fait le point sur une notion.

à gauche

Une page synthèse apporte toutes les informations pour comprendre le sujet de la double page.

à droite

Une page explication fait le point, précise, illustre, et propose des exercices.

Le repérage par thèmes : les grandes parties du livre

Le titre de la double page.

L'introduction situe ou définit la notion.

Sur la page de droite, des informations complémentaires, des exemples, des exercices complètent le travail sur la notion.

LANGUE ET STYLE
MÉTAPLASMES
MÉTRIQUE
CHOIX DES MOTS
COMBINAISON DE MOTS
TYPOLOGIE DE TEXTES

La métaphore

La métaphore est l'écart paradigmatique (écart de substitution) le plus répandu. Fondée sur l'analogie et la ressemblance, elle nous fait passer d'un secteur du réel à un autre, libère l'imagination et rajeunit le monde.

■■■ Définition de la métaphore

On appelle métaphore le remplacement d'un mot ou d'une expression normalement attendus (A) par un autre mot ou une autre expression (B), selon un rapport d'analogie entre A (le comparé) et B (le comparant).

Exemple : L'offensive (B) du froid
A, le comparé > arrivée brutale

■■■ Le fonctionnement de la métaphore

□ La substitution isotopique. Dans la métaphorisation, le comparé A et le comparant B appartiennent à des isotopies (= secteurs du réel) différentes. Dans l'exemple ci-dessus, l'isotopie de l'hiver laisse la place à celle, humaine, de la guerre.
□ Mathématique de la métaphore. On peut figurer le fonctionnement métaphorique par la figure mathématique de l'intersection d'ensembles. Chaque croix représente un sème, c'est-à-dire un élément de signification d'un mot. Par exemple, les sèmes du mot « asperge » sont : plante + comestible + filiacée + longue tige + verticalité + faible section de la tige...

Comme la figure le montre, pour que la métaphore soit possible, A et B doivent avoir quelques sèmes en commun. Exemple : C'est vraiment une asperge ! L'asperge (B) et son comparé (A), ont en commun les sèmes de verticalité, de longueur, de maigreur.

■■■ Effets de la métaphore

□ La topicalisation. La métaphore associe un thème (ce dont on parle, dans ce cas le comparé) à un propos ou phore (ce que l'on dit du thème).
□ La désautomatisation du réel. Le brusque changement d'isotopie rompt la vision habituelle et rassurante du monde et l'imagination reprend donc ses droits. De multiples connotations naissent.

■■■ Situations d'emploi de la métaphore

□ Langue populaire. La langue familière et l'argot sont de remarquables fournisseurs de métaphores, souvent utilisées dans la presse et la publicité.
□ Littérature. La métaphore appartient à l'essence même de la littérature, du portrait au récit merveilleux, de la description à l'imagerie poétique.

66

MÉCANISMES MÉTAPHORIQUES

■ **Métaphore directe et métaphore annoncée**

La métaphore directe (ou in absentia). Seul le comparant (B) est exprimé. Exemple : le médecin des statues. Les sèmes communs à médecin et à réparateur (= le comparé A) sont nombreux (homme + conservation + rétablissement, etc.) : aucun problème de compréhension.

La métaphore annoncée (ou in praesentia). Le comparant (B) et le comparé (A) sont exprimés. Exemple : je me suis baigné dans le Poème de la mer (A. Rimbaud). Comme poème et mer ont peu de sèmes communs (beauté + immensité), la présence du comparant et du comparé est nécessaire à la compréhension.

■ **Métaphore et comparaison**

● Dans la comparaison, écart syntagmatique (= écart d'accrochage des mots), le comparé A et le comparant B conservent leur autonomie, confirmée par un outil de comparaison (tel, comme, ressembler, paraître, semblable à...). Exemple : l'homme est semblable à un roseau.

■ Au contraire, dans la métaphore, même annoncée, il y a substitution d'un mot à un autre. Exemple : L'homme est un roseau pensant (Pascal). Le verbe être marque la substitution.

■ **Métaphore et significations**

La métaphore accumule les significations en réalisant l'addition suivante :
Une part du sens dénoté du comparé
+ Sens dénoté du comparant
+ Connotations du comparant
+ Connotations venues du contexte
= Constellation de significations !

■ **Exercice 1**

1. Dans les énoncés suivants, repérez les métaphores et classez-les (directes ou annoncées).
2. Indiquez le comparé.
3. Quels sont les sèmes communs entre comparés et comparants ?
4. Quels effets produisent ces métaphores ?
– Le raz de marée de la droite s'est confirmé au second tour des législatives (extrait de presse).
– Le soleil prolongeait sur la cime des tentes.
[tentes.
Ces obliques rayons, ces flammes
[éclatantes,
Ces larges traces d'or qu'il laisse dans
[les airs.
A. de Vigny, *Moïse*
– Il a mis l'auditoire dans sa poche.

■ **Exercice 2**

Remplacez les mots en italique par des métaphores.
Ile rocheuse de Méditerranée, Chypre n'a jamais pu changer son destin. Cette terre abandonnée voulait se rattacher à la Grèce. Elle a dû dépendre de l'Angleterre, sa protectrice, avant de se faire envahir par la Turquie qui, depuis 1974, occupe le tiers de son territoire.

Métaphore ou hallucination ?

■ La métaphore apparaît souvent dans les rêves nocturnes : cette dame qui rêve qu'elle tue une chienne révèle son désir d'éliminer sa chienne... de rivale.
■ Le caractère hallucinatoire de la métaphore est souligné par Nerval, Rimbaud et les Surréalistes. Je fixe le fameux texte de l'*Alchimie du Verbe*, Rimbaud rappelle cette expérience poétique et existentielle : « Je m'habituai à l'hallucination simple : je voyais très franchement une mosquée à la place d'une usine. »

67

Les sous-titres permettent de repérer les caractéristiques de la figure de style.

L'encadré met l'accent sur un aspect original de la notion traitée.

3

LANGUE ET STYLE

MÉTAPLASMES

MÉTRIQUE

CHOIX DES MOTS

COMBINAISON DE MOTS

TYPOLOGIE DE TEXTES

Les paramètres de la communication

Pour que la communication soit possible, six paramètres (éléments importants) doivent être présents : émetteur, récepteur, référent, message, canal et code.

■ Schéma de la communication

```
                              Référent
Émetteur ─────────────────── Message ─────────────── Récepteur
                              Canal
                              Code
```

■ Paramètres et contraintes de la communication écrite

☐ L'émetteur. C'est celui qui rédige le message, écrivain, journaliste, auteur d'une lettre, rédacteur d'un texte technique. À l'intérieur de l'œuvre, par exemple dans un récit, l'auteur peut laisser la parole à un narrateur et aux personnages qui deviennent ainsi émetteurs. La communication écrite est différée : l'auteur, absent ou mort, s'adresse à des milliers de lecteurs.

☐ Le récepteur. S'il veut être compris, l'émetteur doit penser à ses récepteurs. Sont-ils jeunes ou vieux ? Cultivés ? Qu'attendent-ils du message ? Un journaliste, un auteur scientifique doivent tenir le plus grand compte de ces contraintes. Par contre, la littérature peut exiger des efforts importants de décodage.

☐ Le référent. On distingue deux types de référents. Le référent situationnel, qui caractérise la communication orale, comprend les êtres, les objets, les lieux présents pendant cette communication. Le référent textuel comprend les êtres, les objets, les lieux absents pendant la communication mais dont on parle ou qu'on évoque par écrit.

Types de messages	Référent situationnel	Référent textuel
Romans, contes, récits, rapports, articles…	Pas de référent situationnel	Très présent : tout doit être décrit ou narré
Théâtre	Décors, acteurs, objet, public	Récits, descriptions, évocations par les personnages
Bande dessinée, dessins ou photos légendés	L'image joue le rôle de référent situationnel	Évoqué par les textes

☐ Le message écrit. C'est l'énoncé, le texte. Il obéit d'abord aux lois du genre (récit, article, notice…). Il est, éventuellement, le lieu du style. Au théâtre, le texte devient un message oral.

☐ Le canal. C'est la voie matérielle que le texte emprunte, feuille du livre ou du journal mais aussi la pierre où l'énoncé est gravé, l'écran de l'ordinateur.

☐ Le code. C'est d'abord le code linguistique, commun au destinateur et au lecteur, strictement nécessaire à la compréhension. D'autres codes transparaissent dans le message, culturels (relations sociales codées, codes de l'identité, etc.) et esthétiques (par exemple les codes classique, romantique, naturaliste).

LES TEXTES ET LE RÉEL

■ Les émetteurs au théâtre

Au théâtre, l'émetteur premier est évidemment *l'auteur.*

■ Les personnages de la pièce semblent vivre d'une existence autonome puisqu'ils dialoguent ou pensent tout haut dans les monologues. En fait, ils parlent pour les spectateurs, ce qui transparaît nettement dans les apartés.

■ Le metteur en scène occupe aujourd'hui une place royale que confirment les longues didascalies du théâtre contemporain (indications sur la gestuelle, le décor...). Il prévoit décors, costumes, lumières, jeux de scène, incite à jouer selon un ton particulier : il devient ainsi l'auteur d'un message qui module ou transforme la pièce initiale.

■ Les acteurs, par leur voix, leur gestuelle, leur jeu, peuvent également faire passer un message personnel.

■ Le cas de la bande dessinée

■ Les émetteurs y sont nombreux, de l'auteur aux personnages : encarts et bulles leur sont réservés.
■ L'image joue le rôle de référent situationnel mais sa polysémie (l'image seule offre une pluralité de sens) doit être réduite par le texte.
■ Outre le code linguistique et les codes esthétiques (dessin, mise en page), la bande dessinée utilise des codes graphiques (grosseur, forme des lettres, signes particuliers).

■ Exercice 1

Vous utiliserez les informations brutes suivantes et vous les développerez de façon à obtenir : un début de conte merveilleux, un début de récit fantastique, un début de poème.

Sur un rocher s'élève un château fort inhabité. Le vent souffle et la nuit tombe. Un cavalier arrive au galop, franchit le fossé, s'arrête dans la cour et demande où la princesse dort.

■ Exercice 2

1. Le message suivant a-t-il un référent ?
2. La communication entre auteur et lecteur vous semble-t-elle possible ?

Quand les feux du désert s'éteignent un à
                       [un
Quand les yeux sont mouillés comme des
                     [brins d'herbe
Quand la rosée descend les pieds nus sur
                     [les feuilles
Le matin à peine levé
Il y a quelqu'un qui cherche
Une adresse perdue dans le chemin
                         [caché
Les astres dérouillés et les fleurs
                     [dégringolent
À travers les branches cassées

P. Reverdy, *Le Gant de crin*, Flammarion, 1927

Qui est le maître du message ?

■ L'auteur semble être le maître du message puisqu'il a pris la décision de le rédiger et de le proposer. Théoriquement, il choisit ses codes et impose son style.
■ En fait, pour que la communication s'établisse, il doit tenir compte du lecteur. S'il rédige un mode d'emploi, la précision, la concision et la clarté doivent l'emporter. S'il écrit pour un journal populaire, son article sera à la fois simple, clair, ludique. Bref, l'auteur doit faire des concessions sans lesquelles il se coupera du public. Si une certaine poésie contemporaine ne se vend pas, c'est peut-être qu'elle est indécodable. Mais la littérature, domaine d'autonomie et de style, peut-elle sacrifier son essence sur l'autel de la réussite immédiate ?

LANGUE ET STYLE

MÉTAPLASMES

MÉTRIQUE

CHOIX DES MOTS

COMBINAISON DE MOTS

TYPOLOGIE DE TEXTES

Les fonctions de la communication écrite

La communication écrite peut assumer six fonctions. Chacune est connectée sur l'un des six paramètres de la communication (pages 4, 5). La prépondérance d'une fonction contribue à typer un texte.

▬▬ Schéma des fonctions de la communication

Les flèches montrent le rattachement des fonctions aux six éléments de la communication.

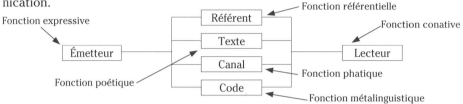

▬▬ Les six fonctions de la communication écrite

Fonctions	Définition, fonctionnement	Indices de la reconnaissance
Fonction référentielle	Centrée sur le référent, auquel elle renvoie le lecteur, elle correspond aux informations objectives transmises. Exemple : De sa fenêtre, il voyait la Seine.	Emploi de la 3e personne (ou de la 1re si le message reste objectif), des pronoms neutres (ça, cela).
Fonction expressive	Centrée sur l'émetteur, elle correspond aux émotions, aux sensations, aux sentiments et aux jugements qu'il exprime. C'est donc la fonction de la subjectivité. Exemple : Quel magnifique paysage !	Emploi de la 1re personne, contenu subjectif du texte (adjectifs, adverbes, verbes de caractérisation, etc.).
Fonction conative	Centrée sur le lecteur, elle correspond à son implication. Exemple : Vous êtes triste ? Venez donc au cinéma !	Emploi de la 2e personne, de l'impératif, interpellations, ordres, questions.
Fonction phatique	Centrée sur le canal, elle correspond à tous les éléments utilisés pour faciliter la perception, la lisibilité du message et le contact entre auteur et lecteur.	Ponctuation, simplicité des phrases, techniques de la mise en page, couleurs, procédés de facilitation (schémas, flèches…).
Fonction méta-linguistique	Centrée sur le code, elle correspond aux définitions, aux explications que le texte intègre. En somme, elle permet de définir un mot par d'autres mots. Exemple : Le style mudéjar est celui des artistes musulmans restés en Espagne après la Reconquête.	Après « c'est-à-dire » ou des mots et expressions équivalents.
Fonction poétique	Centrée sur le message lui-même, elle correspond à sa transformation en objet esthétique. C'est une fonction stylistique. Exemple : Les collines, sous l'avion, creusaient déjà leur sillage d'ombre dans l'or du soir. (Saint-Exupéry) = on relève deux métaphores.	Richesse des connotations (sens seconds), variété des phrases, écarts de style, rythmes, musicalité.

TYPOLOGIE DES TEXTES DE COMMUNICATION

■ Fonctions et typologie des textes

Textes référentiels. L'auteur attire l'attention sur la réalité objective. Situations d'emploi : descriptions et récits objectifs, communications scientifiques, notices et rapports.

Ces jumelles grossissent 14 fois, grâce au diamètre des objectifs (10 cm pour chaque œil).

Textes expressifs. L'auteur veut livrer ses sentiments et ses idées personnels. Situations d'emploi : lettres, descriptions et récits, poésie lyrique, essais critiques.

La joie avec laquelle je vis les premiers bourgeons est inexprimable. Revoir le printemps était pour moi ressusciter en paradis. À peine les neiges commençaient à fondre que nous quittâmes notre cachot, et nous fûmes assez tôt aux Charmettes pour y avoir les prémices du rossignol.

J.-J. Rousseau, *Les Confessions*

Textes conatifs. L'auteur veut interpeller, impliquer, mobiliser le lecteur. Situations d'emploi : tracts, circulaires, publicité, littérature engagée.

Venez nous rejoindre à la Guadeloupe, visitez cette île prête à vous accueillir. Vous y surprendrez les crabes de terre dans la Mangrove. Vous vibrerez aux vieilles chansons qui rythment la vie tropicale.

Textes poétiques. Ne pas confondre la poésie, genre littéraire codifié, et la fonction poétique, qui transparaît dans des textes très variés.

■ Exercice 1

1. Relevez les mots et expressions qui correspondent à la fonction référentielle.
2. Relevez ceux qui correspondent à la fonction expressive.
3. Relevez les métaphores qui correspondent à la fonction poétique.

L'été craonnais, doux mais ferme, réchauffait ce bronze impeccablement lové sur lui-même : trois spires de vipère à tenter l'orfèvre, moins les saphirs classiques des yeux, car, heureusement pour moi, cette vipère, elle dormait.

Elle dormait trop, sans doute affaiblie par l'âge ou fatiguée par une indigestion de crapauds. Hercule au berceau étouffant les reptiles : voilà un mythe expliqué ! Je fis comme il a dû faire : je saisis la bête par le cou vivement. Oui, par le cou et, ceci, par le plus grand des hasards. Un petit miracle en somme et qui devait faire long feu dans les saints propos de la famille.

H. Bazin, *Vipère au poing*, Grasset, 1948

■ Exercice 2

À partir de ces informations brutes, rédigez un texte référentiel, un texte expressif et un texte conatif.

Un Français de 35 ans vient de racheter une usine de pâtes alimentaires en Pologne. Très dynamique, il a construit des bâtiments ultramodernes, maintenu tous les salariés auxquels il verse des salaires confortables.

Interférences des fonctions

Il est parfois malaisé de distinguer les différentes fonctions dans la même phrase ou le même groupe de mots. C'est que plusieurs fonctions y interfèrent.

Exemple : *Lecteur : une espèce en voie de disparition ?*

Dans ce titre de presse, trois fonctions s'imbriquent :
- la fonction référentielle (référent = problème de la lecture) ;
- la fonction conative (on pose une question au lecteur) ;
- la fonction poétique (phrase elliptique du verbe, synecdoque de l'« espèce », clin d'œil culturel aux thèses de Darwin).

LANGUE ET STYLE
MÉTAPLASMES
MÉTRIQUE
CHOIX DES MOTS
COMBINAISON DE MOTS
TYPOLOGIE DE TEXTES

Fonctions de la communication et style

La fonction poétique est par nature celle de l'originalité esthétique. Mais les autres fonctions, directement ou par détournement, ont aussi une vocation stylistique.

▬▬▬ La vocation stylistique des fonctions

☐ **La fonction référentielle.** Comme elle correspond aux informations objectives sur le réel, elle semble incompatible avec le style, toujours personnel. Pourtant, en littérature, récits, descriptions et portraits y recourent. Le style naît alors des connotations.

☐ **La fonction conative.** Centrée sur le lecteur qu'on essaie d'impliquer, elle utilise des interrogations, des interjections et des exclamations à valeur stylistique.

☐ **La fonction phatique,** chargée de faciliter la perception physique du message et sa compréhension, est en principe étrangère au style. Sauf quand les jeux typographiques et la mise en page lui donnent une valeur stylistique.

☐ **La fonction métalinguistique.** Centrée sur le code dont elle définit certains mots, elle est par nature antistylistique !

☐ **La fonction expressive,** qui correspond aux émotions et aux jugements de l'auteur, est à vocation stylistique puisque le style est lié au JE et à l'expression personnelle. Elle est donc souvent associée à *la fonction poétique,* dont l'essence est précisément le style.

▬▬▬ Style et fonction expressive

☐ **La fonction des propos.** Un propos est ce que l'on dit d'un thème (ce dont on parle). À travers les propos, les conceptions particulières d'un auteur « passent ». Elles font partie de son style. Exemple : Je hais cette verdeur malsaine des marais.

☐ **La fonction de caractérisation.** Les adjectifs, les adverbes, certains verbes servent à caractériser un être, une chose, un lieu. Si cette caractérisation est subjective, elle déclenche des connotations, domaine du style. C'est le cas dans l'exemple précédent.

▬▬▬ Style et fonction poétique

☐ **Une fonction pour le style.** La fonction poétique, centrée sur le message, le transmue en objet esthétique. On pourrait donc la nommer fonction stylistique.

☐ **Une fonction perturbatrice.** Fréquemment, elle modifie les autres fonctions, avec lesquelles elle interfère. Ainsi, des « archipels de nuages » ne sont plus tout à fait des nuages en grand nombre (sens référentiel) et la métaphore, plus difficile à décoder qu'un mot simple et direct, a de ce fait une tonalité conative.

▬▬▬ Le style par détournement des fonctions

Lorsqu'une fonction est détournée de son rôle et de ses effets habituels, elle prend une valeur stylistique ou bien laisse sa place à la fonction poétique. Exemples : dans l'humour, la parodie, les procédés de distanciation des événements.

CIRCULATION DU STYLE

■ Les détournements stylistiques

La fonction référentielle. La fausse objectivité, l'apparition d'un référent imaginaire évacuent le référent. Ainsi, dans le texte de Prévert, il est difficile de croire à l'existence de l'« alcoolonel », de « l'hémiplégie anale » et de la burlesque situation.

Un alcoolonel d'infanterie tropicale
      [frappé d'hémiplégie anale
s'écroule dans le tourniquet aux tickets
bloquant à lui seul
l'entrée de toute une exposition coloniale
J. Prévert, « Le Dernier Carré », Spectacle,
Gallimard, 1949

La fonction expressive. L'impassibilité devant un événement crucial crée une distanciation insupportable, riche de connotations.

Aujourd'hui, maman est morte. Ou peut-être hier, je ne sais pas. J'ai reçu un télégramme de l'asile : « Mère décédée. Enterrement demain. Sentiments distingués. » Cela ne veut rien dire. C'était peut-être hier.   A. Camus, L'Étranger, Gallimard, 1942

La fonction conative. Elle est détournée lorsqu'un auteur s'adresse à un objet, une force naturelle.

Octobre, vos plumiers, vos craies
Se cachent dans les tabliers   J. Bour

La fonction phatique. Chez Ionesco ou Beckett, les monologues et les dialogues vides, de nature phatique, prennent les connotations de l'absurde et caractérisent un style.

La fonction métalinguistique. En remplaçant deux mots d'une phrase par leurs définitions, R. Queneau crée un dépaysement qui n'a rien de métalinguistique.

Le chat *a bu* le lait.
Le mammifère carnivore digitigrade domestique *a avalé* un liquide blanc, d'une saveur douce fournie par les femelles des mammifères.   Oulipo, Littérature potentielle, Gallimard, 1973.

■ Exercice

1. Relevez les mots et les expressions qui illustrent les fonctions référentielle et expressive.
2. Montrez que leurs connotations leur font rejoindre la fonction poétique.
3. Montrez que cette dernière naît de la versification et de quelques procédés de style. Lesquels ?

Au bord d'un fleuve
le balayeur balaye
il s'ennuie un peu
il regarde le soleil
il est amoureux
Un couple enlacé passe
il le suit des yeux
Le couple disparaît
il s'assoit sur une grosse pierre
Mais soudain la musique
l'air du temps
qui était doux et charmant
devient grinçant
et menaçant.
J. Prévert, Spectacle, Gallimard, 1949

Inévitables connotations

Dans la mesure où les connotations, significations secondes, sont suggérées au lecteur par les mots les plus simples ou les plus anodins, tout texte littéraire peut les déclencher, quelles que soient les fonctions de la communication qui le caractérisent. Exemple : dans la phrase « Caroline, fille du roi de Bohême, s'est tiré une balle dans la tête », comment éviter les connotations du destin, de la tragédie, de la pitié ? Et qui sait si la nature référentielle de cette phrase, qui la rend si brutale, ne contribue pas à la charger de significations ? En somme, son laconisme cache peut-être une intention de style : le refus de s'apitoyer provoque davantage la pitié que les phrases bavardes d'un locuteur éploré !

LANGUE ET STYLE

MÉTAPLASMES

MÉTRIQUE

CHOIX DES MOTS

COMBINAISON DE MOTS

TYPOLOGIE DE TEXTES

Le signe linguistique

> Les signes linguistiques sont les éléments constitutifs d'une langue. Ils obéissent à des règles de choix et d'agencement. Malgré ces contraintes, une expression personnelle peut naître de l'emploi original des signes.

■■■■■ Définition du signe linguistique

☐ Le signe linguistique est la plus petite unité de signification d'une langue. « Boîte », « envoyer », « ils » mais aussi une désinence verbale comme «-ez » ou le « -s » indiquant le pluriel sont des signes. On le voit, le signe n'est pas le mot.

☐ Les deux aspects du signe linguistique. Le signe linguistique (S) est fait de l'union d'un signifiant (SA) et d'un signifié (SE).

On écrit, conventionnellement : $\boxed{S = \dfrac{SA}{SE}}$

■■■■■ Le signifiant

☐ Le signifiant est l'ensemble des sons (ou phonèmes) qui constituent la partie phonique du signe. Il a un rôle de signal sonore et son plan est celui de la *perception*. Exemple : le signifiant du signe tambour est / tãbur /. Pour le transcrire, on utilise l'alphabet phonétique international.

☐ À l'écrit, le signifiant est l'ensemble des lettres qui constituent la partie visuelle du signe.

■■■■■ Le signifié

☐ Le signifié est l'idée à laquelle le signifiant renvoie, dans le domaine de la pensée. Son plan est celui de la *conceptualisation*. Exemple : le signifiant / tãbur /, entendu ou prononcé, évoque immédiatement l'idée générale de « tambour ». Les guillemets indiquent qu'il s'agit du signifié.

■■■■■ Le signe et le référent

☐ Les signes linguistiques désignent et expriment des êtres, des choses, des situations présents dans l'univers réel. Ce sont les référents.

☐ Le trajet de la signification. Signifier, c'est lier un signe linguistique à son référent :

Référent : l'animal	SA : sons du signe	SE : idée, concept
🐿	/ekyRœj/	« écureuil »

☐ Le problème des signes abstraits. Les signes linguistiques abstraits (comme *liberté*, *objection*, *absurde*…) semblent n'avoir aucun référent : en effet, la liberté ou l'absurde ne sont pas des choses ou des êtres visibles. En réalité, le travail mental de l'abstraction consiste en une synthèse de multiples expériences réelles. Ainsi, le signe *croire* se réfère à plusieurs expériences concrètes de la croyance, c'est-à-dire à plusieurs référents.

LES SIGNES ET LE STYLE

▪ Signe, perception et conceptualisation

▪ Le référent et le signifiant se perçoivent : on peut voir et sentir une fleur, on peut entendre les sons de / flöR /.

▪ Par contre, le signifié est un concept, c'est-à-dire la représentation intellectuelle du référent, son idée générale. On appelle conceptualisation cette formation des signifiés.

▪ Des recherches récentes accréditent l'hypothèse que l'hémisphère cérébral droit est spécialisé dans la perception des sons, de la musique, des images : c'est l'hémisphère du signifiant. L'hémisphère gauche semble être celui du langage et de la conceptualisation, donc du signifié.

▪ Signe et valorisations

Valorisation du référent. Le choix de signes concrets, l'usage de la caractérisation (rôle des adjectifs) et de la description réaliste rapprochent l'énoncé de ses référents. Ils sont rendus très présents, tels des images ou des tableaux. Les signes prennent une fonction de miroir. Situations d'emploi : modes d'emploi, catalogues mais aussi reportages, récits, poésie...

Valorisation du signifiant. Les techniques de la typographie et de la mise en page, les recherches de rythme, les procédés de mise en valeur des phonèmes (allitérations, assonances, etc.) transforment les signifiants en objets sonores. À l'oral, l'interprétation théâtrale souligne ces recherches. Situations d'emploi : presse, publicité, poésie, théâtre.

Valorisation du signifié. Parmi les procédés possibles, citons l'usage de signes abstraits (textes philosophiques, scientifiques, didactiques), l'ignorance du référent dans le discours absurde, l'intrusion d'un monde sans référent reconnaissable dans la poésie surréaliste.

▪ Exercice 1

Dans ce poème, comment l'auteur valorise-t-il le référent ?

CoQuille Bouchée

Automne.
   Brume.
      Pluie.
Âme
     recroquevillée
       escargot
dans
  sa
    coquille
     bouchée.

Denis Buican, *Arbre seul*, Ed. J.-P. Oswald, D.R.

▪ Exercice 2

Dans le même poème, montrez que la valorisation des signifiants se fait par l'utilisation de leurs sonorités et leur disposition graphique.

Le signe est-il arbitraire ?

▪ Dans le signe linguistique, le rapport entre le référent et le signifiant est dit arbitraire. En effet, les sons ou les lettres constitutifs du mot montagne ne ressemblent pas à une montagne ! De plus, pour le même référent, les différentes langues utilisent des signifiants différents (montagne = mountain, Berg, etc.).

▪ Un rapport de ressemblance entre signifiant et référent peut occasionnellement apparaître. Ainsi, dans ce vers de V. Hugo, les sons ch et s soulignent l'idée exprimée : « Les buissons chuchotaient comme d'anciens amis ».

▪ Les onomatopées, créées par imitation de sons réels, rapprochent le référent du signifiant, même si les phonèmes (unités de son) sont ceux d'une langue donnée : le corbeau... français dit CROA, le corbeau esquimau KRAO. La bande dessinée utilise souvent les onomatopées.

LANGUE ET STYLE
MÉTAPLASMES
MÉTRIQUE
CHOIX DES MOTS
COMBINAISON DE MOTS
TYPOLOGIE DE TEXTES

Dénotation et connotation

Son imagination et sa sensibilité portent l'homme à dépasser le sens premier des mots et à leur conférer des significations secondes, les connotations. Ces connotations sont créatrices du style et elles appellent la connivence affective du lecteur. Les sources en sont variées, de la nature à la culture.

▬▬ Significations du mot

☐ La dénotation. On appelle dénotation, ou sens dénoté d'un mot, son sens objectif, livré par le dictionnaire. C'est le sens adopté par tous les usagers d'une langue. Exemple : le sens dénoté du mot « édredon » est « couvre-pied de tissu garni de duvet ou de plumes ».

☐ La connotation. On appelle connotation, ou sens connoté d'un mot, un sens second, affectif et suggéré, variable selon les groupes, les individus, le contexte. Exemple : les connotations du mot « édredon » sont la chaleur et le froid, l'hiver, l'amour et, pour qui connaît l'origine danoise du terme, l'eider, les pays nordiques, Andersen...

☐ Le symbole. Il correspond à la coexistence d'un sens dénoté et d'au moins un sens connoté commun aux membres d'un groupe humain. En somme, il est codé et appartient souvent à un système symbolique. Exemple : le chien est un animal (sens dénoté) qui symbolise la fidélité (sens connoté).

▬▬ Le fonctionnement connotatif

☐ Les rapports entre sens dénoté et connotations. Ils obéissent à une logique de l'inconscient. Le plus souvent, ils sont d'ordre synecdochique (partie / tout), métonymique (cause / effet, rapport de contiguïté), métaphorique (rapport de ressemblance), antithétique (rapport d'opposition). Exemples : un sabot peut évoquer la campagne par synecdoque et la bergère par métonymie (contiguïté entre le sabot et son corps) ; un être obèse peut suggérer un hippopotame par métaphore.

☐ Origine des connotations. Quatre grandes sources : la nature psychologique de l'homme, son environnement social, son histoire personnelle et, dans le cas d'un texte, les interrelations des mots et des phrases.

▬▬ Les connotations comme effets du texte

☐ Connotations et style. La construction originale d'une phrase ou d'un paragraphe, le choix de mots justes et évocateurs, l'emploi de moyens rhétoriques (exemples : métaphores, antithèses, accumulations, allitérations...) font surgir de multiples connotations caractéristiques du style d'un auteur.

☐ Connotations et lecture active. Le texte connotatif mobilise le lecteur. En effet, il ne peut se contenter d'un sens seulement dénoté. Au-delà, il découvre et décode les connotations dont le texte et l'auteur sont porteurs. Mieux, il peut apporter les siennes et devenir ainsi une sorte d'acteur sensible. *Un balcon en forêt*, de J. Gracq, dont l'action se passe dans les Ardennes pendant la Seconde Guerre mondiale, suscitera des connotations très personnelles au lecteur qui connaît les Ardennes ou à celui qui a fait la guerre.

LES CONNOTATIONS

■ D'où viennent les connotations ?

La nature humaine. L'anthropomorphisme, c'est-à-dire la tendance à voir dans le cosmos des formes, des situations, des intentions qui ressemblent à celles de l'homme, fait naître un nombre prodigieux de connotations codifiées en symboles. Ainsi, l'automne suggère la mélancolie ou la vieillesse, et l'orage la fureur de Jupiter... Les angoisses ancestrales devant l'univers, les pulsions inconscientes et les désirs humains agissent sur l'imaginaire et y font naître des symboles universels : l'image du Père, vécu comme tout-puissant, se retrouve dans les connotations du roi, du chef, du protecteur.

L'environnement social. Beaucoup de connotations, que l'on croit personnelles, sont collectives et codifiées.

L'histoire personnelle. Les connotations sont liées à des fantasmes, des émotions, des événements décisifs.

Les interrelations des mots et des phrases. Dans un texte, les connotations d'un mot sont bien sûr celles qui lui viennent de l'environnement socioculturel et de la psychologie humaine. D'autres peuvent venir du contexte : des mots du texte, situés avant ou après le mot en question, projettent sur lui des connotations particulières.
Exemple : « Elle prit le balai et en frappa violemment sa sœur ». Les connotations ménagères du balai s'effacent devant celles de la fureur, de la dispute et de l'arme, issues du contexte.

■ Exercice 1

1. Donnez le sens dénoté des mots suivants : canon, bureau, été, vert, coq.
2. Quelles connotations vous sont suggérées par chacun de ces mots ? D'où viennent-elles ?

■ Exercice 2

1. Dans le texte suivant, indiquez les connotations des mots en italique.
2. D'où viennent-elles ?
3. Quel est le rapport logique entre la dénotation et les connotations ?

Les rêves de la ville avec la tombée de la nuit se prolongent et se précisent comme de déchirantes fumées, et, au-delà du quartier militaire, vers la Seine, il y a de grands *silences* abandonnés, car ici, passées de *petites entreprises*, commencent de longs murs enfermant des *usines*. Les chimères de la gloire font place à des machines maintenant immobiles. Personne ne songe plus dans ces bâtisses assombries où l'acier dort à cette heure. Sur l'autre rive débutent les *beaux quartiers*.

Aragon, *Les Beaux Quartiers*, Denoël, 1936

Connotations à vendre

■ Pour qu'un texte publicitaire ait un impact sur le client, il doit provoquer des connotations qui correspondent aux mobiles de l'acheteur, c'est-à-dire aux désirs qui prolongent les pulsions inconscientes. Ainsi beaucoup de produits (aliments, meubles...) sont connotés comme naturels, traditionnels, vénérables pour répondre aux désirs d'avoir des racines, de retrouver la douceur de la nature et la sécurité du passé.
■ La rencontre du texte et de l'image renforce la mise en scène du produit et permet de l'associer à des objets, des lieux, des personnages dont les connotations positives relaient celles de l'objet à vendre. L'acheteur reporte inconsciemment ces connotations sur la marchandise proposée.
Exemple : une vedette utilise tel produit, un parfum apparaît, en surimpression, sur un paysage tropical, une automobile est figurée au sommet d'une montagne.

LANGUE ET STYLE

MÉTAPLASMES

MÉTRIQUE

CHOIX DES MOTS

COMBINAISON DE MOTS

TYPOLOGIE DE TEXTES

Monosémie et polysémie

Dans certaines conditions de communication, les mots et les énoncés doivent avoir une signification unique, monosémique. Dans d'autres cas, et notamment en littérature, on recherche au contraire la pluralité des significations, ou polysémie. Cette polysémie est productrice de style.

■■■■■ Monosémie d'un mot

☐ Définition. Un mot est monosémique lorsqu'il porte une seule signification.

☐ Les deux cas de monosémie. Dans le dictionnaire, certains mots ont un seul sens dénoté (= sens objectif). Ainsi, un « séquoia » est un conifère et rien d'autre. D'autres mots, dotés de plusieurs sens dénotés dans le dictionnaire, en conservent un seul dans un énoncé. Exemple : dans la phrase « J'ai mangé un croissant chaud », le croissant n'est évidemment pas celui de la lune ou un emblème musulman mais, obligatoirement, un aliment.

■■■■■ Polysémie d'un mot

☐ Définition. Un mot est polysémique lorsqu'il porte au moins deux significations. On distingue trois types de polysémie.

☐ Polysémie par dénotation. Dans le dictionnaire, de nombreux mots offrent plusieurs sens dénotés possibles. Exemple : les trois sens du mot « croissant ».

☐ Polysémie par addition d'un sens dénoté et d'une ou plusieurs connotations (= sens seconds, subjectifs). C'est le cas le plus fréquent, surtout si le mot est en situation dans un énoncé. Exemple : Or = métal précieux, monnaie. *Affaire d'or, en or* : très avantageuse. *Âge d'or* : époque de bonheur. *À prix d'or* : très cher. *Cœur d'or* : personne généreuse. *En or* : parfait. *Livre d'or* : recueil de signatures. *Or noir* : pétrole.

☐ Polysémie par écart de style. Lorsque l'écart consiste en une substitution d'un mot à un autre, le mot exprimé perd son sens dénoté pour prendre celui du mot remplacé et ses connotations sont les siennes propres et celles du mot remplacé.

Ainsi, dans l'expression « l'offensive du froid », le terme « offensive » perd son sens dénoté, capte celui de « forte poussée », se charge des connotations de l'agressivité guerrière et de la rapidité.

■■■■■ Monosémie et polysémie des textes

☐ Le texte monosémique. Il obéit à la syntaxe normale, sans écarts, et les mots doivent être précis et neutres, sans connotations. La monosémie est obligatoire dans les écrits scientifiques et techniques : toute ambiguïté est ainsi bannie.

☐ Le texte polysémique. La variété des phrases, l'emploi de mots à forte charge connotative et d'écarts de style caractérisent les textes polysémiques. Ils suscitent ainsi émotions, sentiments et pensées. La polysémie convient donc à la littérature et aux articles de presse. Liée aux libertés de pensée, d'expression et d'interprétation, la polysémie est souvent surveillée par les institutions.

LES SIGNIFICATIONS

■ Le contrôle de la polysémie

Liée à la liberté individuelle, la polysémie peut paraître dangereuse aux États
et aux institutions désireux de contrôler
le sens et même de l'imposer.

La polysémie intégrale. Dans les
sociétés archaïques, de l'Égypte et de la
Grèce antiques aux peuples africains ou
océaniens, tout élément du monde a
plusieurs significations symboliques et
se trouve en correspondance avec
d'autres éléments. C'est le cas dans le
polythéisme.

Cette « pensée sauvage », inhérente à la
nature humaine, continue à produire des
symboles, dans la société ou dans l'art.

La polysémie contrôlée. L'Église
médiévale voyait dans les textes sacrés
quatre sens : le sens littéral (le sens
dénoté), le sens historique (la vie de
Jésus, des saints...), le sens moral
(leçon tirée des faits et des paroles), et le
sens anagogique, ou sens mystique,
considéré comme le plus important. Ces
sens, imposés, rejetaient dans l'hérésie
toute autre interprétation.

Tous les totalitarismes contrôlent la
polysémie. Les textes « sacrés » du
communisme (Marx, Engels, Lénine)
avaient en URSS des significations offi-
cielles. Au-delà commençait le dévia-
tionnisme.

La lecture polysémique. Dans les
domaines de la lecture et du commentaire de texte, la plus grande liberté
interprétative doit être laissée.

■ Exercice 1

1. Montrez que cet énoncé est strictement monosémique et dénotatif.
2. Pourquoi doit-il l'être ?

Quand votre congélateur fonctionne, tous
les côtés sont chauds. Il faut donc laisser
un espace de 5 cm tout autour : l'air
pourra disperser la chaleur.

La plaque signalétique placée à l'arrière
de votre congélateur donne les informations pour le raccordement électrique.
Dès que votre congélateur est sous tension, le voyant vert s'allume.

■ Exercice 2

1. Les mots en italique sont polysémiques. Donnez leur sens dénoté et
leurs connotations.
2. Essayez de continuer le texte dans le
même ton et avec la même richesse
polysémique.

Le soleil accable la ville de sa lumière
droite et terrible ; le sable est éblouissant
et la mer miroite. Le monde stupéfié
s'affaisse lâchement et fait la sieste, une
sieste qui est une espèce de *mort savou-
reuse* où le dormeur, à demi éveillé, goûte
les voluptés de son anéantissement.
Cependant *Dorothée,* forte et fière comme
le soleil, s'avance dans la *rue déserte,*
seule vivante à cette heure sous l'immense
azur, et faisant sur la lumière une tache
éclatante et *noire.*

Ch. Baudelaire, *La Belle Dorothée*

Quand la monosémie devient pathologique

Lorsqu'une personne s'avère imper-
méable au symbolisme au point de ne voir
dans le printemps qu'une saison ou dans
un cheval qu'un quadrupède, elle est victime d'asymbolie, une monosémie patho-
logique connue des psychiatres. Dès
l'enfance, la polysémie est nécessaire à
la santé mentale !

La transposition du discours mathématique, scientifique ou technique dans les
autres domaines de la vie risque de favo-
riser cette asymbolie et d'aboutir à des
constructions intellectuelles et des réali-
sations oublieuses des complexités de la
vie, des désirs et des rêves.

LANGUE ET STYLE
MÉTAPLASMES
MÉTRIQUE
CHOIX DES MOTS
COMBINAISON DE MOTS
TYPOLOGIE DE TEXTES

Les codes culturels

La plupart des éléments du réel et des mots qui s'y réfèrent appartiennent à des systèmes de signification admis par la société, les codes culturels. Ces codes affleurent souvent dans la littérature mais un auteur peut les transformer et, conjointement, utiliser ses codes personnels.

▄▄▄▄▄ Nature et signification des codes culturels

☐ **Un stock de signes.** Un code culturel est toujours un ensemble de signes dont les définitions et les significations sont admises par un groupe social. Exemples : code de la route, code de la politesse, code réaliste (en littérature, au cinéma, etc.).

☐ **Des règles de combinaison.** Certains codes fixent des règles de combinaison entre leurs éléments. De nouvelles significations peuvent alors apparaître. Ainsi, un homme en chemisette, short et sandales est connoté comme vacancier. Si, de surcroît, il porte une casquette à grande visière et un caméscope, il sera connoté comme touriste. S'il est député et qu'il se présente à l'Assemblée nationale dans cet équipage, il passera pour un provocateur, un révolutionnaire ou un fou.

▄▄▄▄▄ Codes dénotatifs et codes connotatifs

☐ **Les codes dénotatifs.** Chaque élément porte une seule signification, strictement dénotative (dénotation = sens objectif d'un mot). Exemples : code des mathématiques, code des signaux de marine.

☐ **Les codes connotatifs.** Chaque élément porte un sens dénoté et une ou plusieurs significations connotées (connotation = sens second). Ces connotations codées sont aussi appelées symboles. Exemple : une poignée de main peut symboliser la rencontre, l'estime, l'amitié, la réconciliation, etc. Les codes connotatifs sont donc des codes ouverts qui laissent leur place aux connotations personnelles.

☐ **Un même signe peut renvoyer à plusieurs codes** : le caviar renvoie à la pêche, à la nourriture, à l'art de la table, à la Russie, etc.

▄▄▄▄▄ Textes et codes culturels

☐ **Présence des codes.** Consciemment ou inconsciemment, un auteur se réfère aux codes culturels de la société dans laquelle il vit.

☐ **Effets du codage.** Le codage facilite la compréhension du texte. En effet, beaucoup de codes sont communs à l'auteur et aux lecteurs. Les textes de simple information et les textes de simple divertissement, destinés à un public fatigué qui refuse l'effort intellectuel et recherche l'évasion, sont les plus codés. Ce sont certains articles de presse, les romans de gare, les récits fabriqués, certains romans policiers et beaucoup de bandes dessinées (malgré la qualité du dessin).

▄▄▄▄▄ Codes culturels et codes personnels

Un texte littéraire esclave des codages habituels serait terne et banal. Aussi les écrivains apportent-ils de nouvelles significations aux codes établis. Ils peuvent également révéler leurs sentiments et leurs conceptions à travers un code personnel. Ce code est partie prenante de leur style.

CODES ET SIGNIFICATIONS

■ Tableau des codes

Codes	Exemples d'éléments	Significations
Logique Mathématiques	Feu vert $\leqslant$	Passage libre Inférieur ou égal à
Sciences	CO_3 Ca	Carbonate de calcium
Technologie	Ø	Diamètre
Identité, appartenance	Casoar Bleu de travail	Saint-Cyrien Ouvrier
Relations sociales	Baisemain	Déférence du vassal, hommage à une dame
	Cher Maître	Avocat, notaire
Manifestations collectives	Ballon ovale Sapin	Rugby Fêtes de fin d'année
Codes esthétiques	Arc en plein cintre Symphonie	Art roman Musique occidentale

■ Exercice 1

La plupart des mots de ce texte se réfèrent à des codes. Dans un petit tableau du modèle ci-dessus, relevez-en une dizaine, indiquez leurs significations et le code auquel ils appartiennent.

Au printemps 1910, j'étais dans ma vingt-troisième année. J'avais passé tout l'hiver à Paris, lisant, fumant, faisant de la musique dans une chambre d'hôtel de la rue Saint-Jacques où je vivais alors, inconnu et très seul, enfermé souvent durant des semaines, sans amis et ne voyant personne, ou, tout au contraire, me dépêchant de finir de manger... et de boire !... un petit héritage qui me venait d'une vieille tante décédée en province ; je disparaissais, également durant des semaines, dans les bas-fonds de la capitale que je venais de découvrir et où, avec un désespoir juvénile, fait d'orgueil et de révolte, de plaisir et de dégoût, je me plongeais, obéissant, je m'en rends compte aujourd'hui, à un besoin baudelairien de provocation, d'épate et de débauche.

Blaise Cendrars, *Partir*, Le Serpent à plumes, n° 8

■ Exercice 2

1. Montrez que l'auteur se réfère à plusieurs codes : perception du réel, géographie, histoire.
2. Par quels procédés parvient-il à les enrichir ?

De loin, j'ai cru que c'était une prairie qu'encerclent les rebords rouge cuivre d'un cratère, une surface d'herbe ondoyant sous le passage d'une risée. Mais c'est un lac. Un reflet minéral accuse le vert soutenu de cet ancien glacier, surface translucide et sombre... Il paraît que l'eau de ces lacs est inhumainement froide, que leur fond est un insondable entonnoir. J'ai dû le lire dans le guide aux pages en papier bible que j'ai feuilleté avant mon départ. L'eau de l'île fut l'arme toujours disponible du châtiment. Les Vikings nouvellement christianisés y noyaient les femmes adultères (autrefois Thor leur avait été plus clément). On les jetait dans les lacs ou les rivières dont le lit est profond, une pierre au cou. En se penchant vers l'eau d'une rare limpidité, on voit des rocs à pic qui se perdent vers des profondeurs vertigineuses. On imagine la nuée blonde de leurs cheveux flottant alors qu'elles sombraient dans ces oubliettes submergées.

Aïsha Bérani, *Plongeon*, Le Serpent à plumes, n° 8

Codes et idéologies

Les codes culturels révèlent des systèmes d'idées, ou idéologies, auxquelles ils donnent une forme codifiée. Des éléments aussi codés que la nuit, le clair de lune, la barque sur le lac, une amante blonde et lascive, un poète désespéré appartiennent au code romantique, forme d'une philosophie pessimiste qui caractérise l'Europe au début du siècle dernier.

LANGUE ET STYLE

MÉTAPLASMES

MÉTRIQUE

CHOIX DES MOTS

COMBINAISON DE MOTS

TYPOLOGIE DE TEXTES

Les réseaux de signification

Les mots sont rarement isolés. Dans un texte, ils appartiennent à des réseaux de signification, les champs lexicaux et les champs sémantiques, qui dépassent le cadre étroit de la phrase simple.

Le champ lexical

☐ Définition. On appelle champ lexical un ensemble de mots et d'expressions qui, dans un texte ou un ensemble de textes, se réfèrent à un même thème (= ce dont on parle). Exemple : le champ lexical de *fleuve* englobera des mots et des explications sur la batellerie, les rêveries sur l'eau, les métaphores de la vie et de la mort, etc.

☐ Fonctionnement du champ lexical. Quatre procédés conduisent à la constitution d'un champ lexical : la désignation (par synonymie, définition, explications…), la caractérisation (par adjectifs, adverbes, verbes), les propos (ce qu'on pense du thème), l'apparition de connotations.

☐ Effets et emplois. Un champ lexical révèle les passions, les hantises, les idées clés d'un écrivain, c'est-à-dire son style. Exemple : le champ lexical de désespoir dans *Les Fleurs du mal* de Baudelaire.

Les champs lexicaux caractérisent l'œuvre littéraire et, notamment, la poésie ou le « nouveau roman » des années soixante. Les textes publicitaires sont souvent réductibles à un champ lexical.

☐ Substance du champ lexical. Les champs lexicaux appartiennent à trois grands domaines de la connaissance : la perception, la sensibilité, l'intellect.

☐ Les interférences de champs lexicaux. Un mot, une expression, un élément de signification peut se référer à deux ou plusieurs champs lexicaux. Ainsi, pour le mot *forçat*, le champ lexical de criminel et celui de surhomme peuvent interférer.

Le champ sémantique

☐ Définition. On appelle champ sémantique l'ensemble des significations que prend un même mot utilisé plusieurs fois dans un texte ou un ensemble de textes. Exemple : champ sémantique d'« automne » dans l'œuvre d'Apollinaire.

☐ Fonctionnement du champ sémantique. La première condition de la constitution d'un champ sémantique est la répétition d'un mot. Chaque fois il se charge de connotations nées du contexte (idées et sentiments de l'auteur, échanges connotatifs entre mots proches, etc.).

☐ Effets et emplois. Comme le champ lexical, le champ sémantique révèle les sentiments et l'idéologie d'un auteur.

LA CONSTRUCTION DES RÉSEAUX SIGNIFIANTS

▪ Les contenus du champ lexical

Trois grands domaines de la connaissance et de la réflexion suscitent les champs lexicaux.

Domaine de la perception. L'univers est d'abord appréhendé par les cinq sens. Ainsi, dans une description ou un portrait, le vocabulaire de la vue l'emporte souvent. L'univers peut être perçu de manière statique (haut/bas, près/loin…) ou dynamique (en travelling, en panoramique, à cent vingt à l'heure, etc.).

Domaine de la sensibilité. L'univers et l'existence des êtres suscitent tendances, sentiments et passions dont la trame apparaît dans les champs lexicaux.
Exemples : le champ lexical de la déchéance du *Père Goriot* (Balzac), de l'amour dans *Les Nuits* de Musset.

Domaine de l'intellect. Analyses, synthèses, réfutations et arguments s'ordonnent aussi en champs lexicaux selon différents plans (économique, social, politique, philosophique, etc.) Exemple : le champ lexical de révolution dans *Les Misérables* (V. Hugo).

▪ Motifs et thèmes

Les adeptes de la critique thématique recherchent dans une œuvre les unités de sens (phrases simples, mots, écarts de style…) qui se répètent ou auxquelles l'auteur semble accorder une place privilégiée. Ces unités de sens sont appelées des motifs. Leur assemblage constitue un thème. Ainsi défini, le thème offre une évidente parenté avec le champ lexical. La différence vient du projet de la critique sémantique : révéler les forces secrètes et inconscientes qui guident le choix des motifs et des thèmes.

▪ Exercice 1

1. Dans un tableau, relevez les mots et les segments de signification (expressions, phrases…) qui se réfèrent à la notion de femme et indiquez leur sens dénoté et leur sens connoté.
2. Quelle conception de la femme cette étude révèle-t-elle ?

STATION DU CALVAIRE

Sa femme absente de sa vie
Si son amour la lui rendait
Il saurait la tenir encore
Comme un violon entre ses bras

Habillée de mains nues de flammes
Il la voit dans la rue passer
Mais le temps d'ouvrir une porte
Et sa compagne a disparu

Il referme sans bruit la porte
Se met à pleurer doucement
Dans une larme reconnaît
Le visage de sa compagne

Ce visage adoré n'a pas
Une parole de reproche
Il se contente d'être beau
De sourire à travers ses larmes

Alors cet homme est convaincu
De la tendresse de sa femme
Il s'agenouille devant elle
Et la reprend dans sa maison.

R.-G. Cadou, *Les Poètes de la Vie*,
Buchet-Chastel, 1945

▪ Exercice 2

1. R.-G. Cadou emploie deux fois le mot « femme ». Quelles en sont les connotations ?
2. Montrez que l'étude de ces connotations empiète sur celle du champ lexical de la notion de femme.

LANGUE ET STYLE
MÉTAPLASMES
MÉTRIQUE
CHOIX DES MOTS
COMBINAISON DE MOTS
TYPOLOGIE DE TEXTES

La norme et le style

> La norme du français, malgré sa rigidité relative, offre à un auteur de multiples occasions d'expression personnelle et originale. Il est en outre possible de transgresser la norme, dans le choix et l'agencement des mots. On crée ainsi des écarts eux aussi constitutifs d'un style.

■■■■ La norme linguistique

☐ L'énoncé « normal » respecte ces trois règles minimales :
– sur le plan syntaxique, la structure simple sujet + verbe + complément (ou attribut, ou adverbe) ;
– sur le plan lexical, l'emploi de mots usuels attendus à cette place ;
– sur le plan sémantique (= la signification), la cohérence logique. Exemple :

Le nouveau projet économique	a plu aux participants

Syntagme nominal
= groupe sujet

Syntagme verbal
= sujet + complément

☐ Les deux axes linguistiques. La production d'un énoncé fait obligatoirement appel à deux opérations concomitantes : le choix des mots et leur combinaison en syntagmes (= groupes) et en phrases. On analyse ces opérations sur deux axes : l'axe paradigmatique pour les choix, l'axe syntagmatique pour les combinaisons.

■■■■ Le style : une exploration

☐ Norme et liberté. La norme linguistique, malgré la rigidité de ses règles de base, n'exclut pas les potentialités stylistiques, c'est-à-dire les occasions d'expression personnelle. À l'auteur d'explorer toutes ces possibilités.
☐ Le style dans le choix des mots. L'éventail lexical est considérable. Un auteur cherchera le mot le mieux approprié à ses intentions et au contexte.
☐ Le style dans la combinaison des mots. L'auteur peut utiliser des phrases variées, enrichir les syntagmes, les déplacer dans le respect de la norme.

■■■■ Le style : un ensemble d'écarts

Dès que la norme linguistique est abandonnée apparaissent des écarts. S'ils ne nuisent pas à la compréhension, ils sont les bienvenus puisqu'ils apportent des significations nouvelles et des « effets d'étrangeté ». Le style naît de leur addition.

Écarts dans le choix des mots	Texte (tiré de P. Mac Orlan, *Quai des Brumes*, Gallimard, 1927)	Écarts dans la combinaison des mots
Deux métaphores (en italique)	Au dehors, dans Paris, la neige *conquérante étouffait* tous les sons.	Syntaxe normale (place libre des compléments)
Deux métaphores (en italique)	Le coin de la rue Saint-Vincent était *mort* et la grande maison *rouge sang de bœuf* était *morte*.	Symétrisation des deux propositions, répétition, ellipse

L'ESSENCE DU STYLE

■ Axe paradigmatique et axe syntagmatique

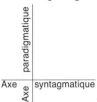

■ L'axe paradigmatique est l'axe vertical du choix des mots. L'auteur choisit un mot dans un paradigme c'est-à-dire l'ensemble des mots qui, dans une phrase, pourraient occuper la même place. Pour être ainsi commutables, ces signes doivent appartenir à la même classe grammaticale et leur sens doit être compatible avec celui de la phrase.

■ L'axe syntagmatique est l'axe horizontal qui figure la chaîne parlée ou la phrase. Les mots et les syntagmes (= groupes de mots) s'y accrochent selon la norme syntaxique.

■ Les trois types d'écarts

Métaplasmes. Ces perturbations du signifiant (partie sonore ou scripturale du mot) portent sur la suppression de phonèmes (unités de son) ou de lettres, leur adjonction, leur répétition, leur substitution, leur permutation.

Écarts paradigmatiques. Ce sont des écarts de remplacement d'un mot normalement attendu par un autre. Principaux écarts : synecdoque, métonymie, métaphore, litote, ironie...

Écarts syntagmatiques. Parmi ces écarts d'accrochage des mots et des syntagmes, il faut distinguer : l'ellipse, l'anaphore, l'accumulation, la syllepse, l'inversion, la comparaison...

■ Exercice 1

1. Montrez que V. Hugo respecte la norme de la phrase complexe.
2. Montrez que son style naît du choix des mots et de la variété des propositions.

Tout à coup, au moment où ils se groupaient pour un dernier effort autour du bélier, chacun retenant son haleine et raidissant les muscles afin de donner toute sa force au coup décisif, un hurlement, plus épouvantable encore que celui qui avait éclaté et expiré sous le madrier, s'éleva au milieu d'eux.

V. Hugo, *Notre-Dame de Paris,* 1831

■ Exercice 2

1. Réduisez ce texte à la norme rigide du français en éliminant toute trace de style.
2. Peut-on dire que le nouveau texte équivaut au texte précédent moins son style ?

Cependant l'obscurité redouble : les nuages abaissés entrent sous l'ombrage des bois. La nue se déchire, et l'éclair trace un rapide losange de feu. Un vent impétueux, sorti du couchant, roule les nuages sur les nuages ; les forêts plient ; le ciel s'ouvre coup sur coup ; et, à travers ces crevasses, on aperçoit de nouveaux cieux et des campagnes ardentes. Quel affreux, quel magnifique spectacle ! La foudre met le feu dans les bois ; l'incendie s'étend comme une chevelure de flammes ; des colonnes d'étincelles et de fumée assiègent les nues, qui vomissent leurs foudres dans le vaste embrasement.

Chateaubriand, *Atala,* 1801

LANGUE ET STYLE

MÉTAPLASMES

MÉTRIQUE

CHOIX DES MOTS

COMBINAISON DE MOTS

TYPOLOGIE DE TEXTES

Les registres de langue

Selon la situation de communication, le milieu culturel du destinataire et les buts de l'émetteur, le français utilisé peut varier. Ainsi, à l'écrit, distingue-t-on trois registres (médian, soutenu, familier), véritables sous-codes de la langue. Le style est nettement lié aux registres soutenu et familier.

■■■■■ Le registre médian

□ Définition et nature. C'est le registre du français enseigné à l'école, surveillé et un peu... aseptisé.

Lexique : mots usuels compris sans difficultés par les francophones, pas d'écarts stylistiques.	*Syntaxe* : phrases facilement compréhensibles, sur le modèle sujet + verbe + complément. Passé simple et imparfait du subjonctif sont évités.

Exemple : Dans la salle à manger, très spacieuse, les meubles venaient d'être cirés.

□ Situations d'emploi. Tous les textes informatifs qui bannissent le style et permettent une communication directe et rapide (notices, circulaires, articles de vulgarisation), littérature réaliste.

■■■■■ Le registre soutenu

□ Définition et nature. Ce registre correspond au parler dit « cultivé ».

Lexique : mots rares, mots riches de connotations, écarts de style (métaphore, métonymie, etc.)	*Syntaxe* : phrases souvent complexes, avec beaucoup de subordonnées. Recherche stylistique de la variété, écarts de style (antithèse, inversion,…)

Exemple : Dans la salle à manger, les reflets chatoyants que renvoyaient les meubles, des senteurs rares et raffinées de cire et de miel sauvage, les volutes voluptueuses des lilas sur la desserte, tout annonçait la liesse des sens et de l'esprit.

□ Situations d'emploi. Comme ce registre est par nature celui du style, il est fréquemment utilisé en littérature, au théâtre, dans les essais littéraires.

■■■■■ Le registre familier

□ Définition et nature. Ce registre correspond au français parlé non surveillé.

Lexique : mots courants et mots jugés familiers, populaires, argotiques parfois, expressions imagées et pittoresques, écarts de style insolites.	*Syntaxe* : elle ressemble à celle du français oral (phrases inachevées, juxtaposition de propositions) et elle admet beaucoup d'écarts dans l'agencement des groupes de mots.

Exemple : Dans la salle à manger, on risquait pas de manquer de place. Et ça sentait drôlement bon. La cire, je crois bien, et même le miel sauvage. Y avait aussi des lilas. Tout ça annonçait des rupins !

□ Situations d'emploi. Grâce à ce registre, on peut introduire des effets de réel et la sensibilité et le parler populaires en littérature, d'où son utilisation dans les dialogues (récits, théâtre) mais aussi dans les romans (narrateur et personnages de milieu populaire) et même en poésie (Jehan Rictus, Prévert, Queneau).

TEXTES ET REGISTRES DE LANGUE

■ Style et choix du registre

Un texte au registre soutenu. Choix de mots évocateurs, syntaxe variée, passé simple, tels sont les indices de ce registre.

Le soleil déclinant, que cachait depuis quelques instants un nuage, reparut au ras de l'horizon, presque en face de nous, envahissant d'un luxe frémissant les champs vides et comblant d'une profusion subite l'étroit vallon qui s'ouvrait à nos pieds ; puis, disparut.

A. Gide, La Porte étroite,
Mercure de France,1909

Un texte au registre familier. Céline, C. Rochefort, R. Queneau, F. Dard ou Cavanna ont souvent recours au registre familier (narrations, descriptions, dialogues).

Papa conduisait comme un cochon ; tous les autres chauffards de la route le lui faisaient bien remarquer, et j'avais les jetons chaque fois qu'il essayait de doubler une bagnole ; c'était une vieille traction ce qu'on avait, il disait que ça devait doubler tout, à cause de la Tenue de Route ; la Tenue de Route ça devait être vrai […]

C. Rochefort, Les Petits Enfants du siècle,
Ed. Grasset, 1961.

Coexistence des registres. Elle se justifie lorsque des personnages de milieux sociaux différents sont en présence.

■ Les registres comme écarts

■ Lorsque le registre de langue utilisé ne paraît pas convenir à la situation de communication, il est perçu par le lecteur comme un écart.

■ Deux types d'effets : l'étrangeté et la poésie (exemples : stylisation de la parole au théâtre, contes merveilleux) ou bien la rupture comique (personnages inadaptés par leur langage).

■ Exercice 1

1. Voici une liste de mots et d'expressions du registre médian. Cherchez leurs équivalents familiers et soutenus.

Avoir très froid, manger, regarder quelqu'un, battre quelqu'un.

2. Employez six de ces mots ou expressions (deux pour chaque registre) dans des phrases appropriées (la syntaxe doit s'accorder au vocabulaire).

■ Exercice 2

À partir des informations brutes données, rédigez trois petits textes, l'un au registre médian, l'autre au registre familier, le dernier au registre soutenu.

– Un fait divers : deux enfants ont tiré sur une voiture.
– Armes utilisées : carabines 22 long rifle volées.
– Épilogue : alertés par le conducteur légèrement blessé, les gendarmes ont arrêté les deux enfants (13 et 15 ans).

Des registres spécifiques

■ Le registre familier utilise parfois des termes et quelques tournures régionaux, ce qui provoque immanquablement des effets de réel. C'est le cas dans la littérature de témoignage où, par le truchement d'un auteur, s'expriment un paysan lorrain, un mineur du Nord, un résinier landais.

■ L'argot, code particulier à différents groupes, des mauvais garçons aux élèves des grandes écoles, recèle des trésors de créativité. Il échappe en effet aux tabous et à la surveillance de la langue par les institutions. Aussi, plusieurs auteurs lui font une large place, de Hugo à Céline et aux romans policiers.

■ Du côté du langage relevé, deux sous-codes importants : la langue scientifique ou technologique (lexique spécialisé et syntaxe soutenue qui s'adresse à des lecteurs avertis), la poésie versifiée où, par la magie des connotations des écarts de style, du rythme et de la rime, les vers deviennent des objets esthétiques.

LANGUE ET STYLE

MÉTAPLASMES

MÉTRIQUE

CHOIX DES MOTS

COMBINAISON DE MOTS

TYPOLOGIE DE TEXTES

Les métaplasmes

La matière sonore ou graphique d'un mot ou d'un ensemble de mots peut être altérée et transformée par des écarts nommés métaplasmes. Recherches phoniques et mutations des mots, les métaplasmes créent des significations nouvelles : ils ne sauraient donc être assimilés à des jeux gratuits.

▬▬ Définition
On appelle métaplasme une altération volontaire du signifiant, c'est-à-dire de la partie sonore (oral) ou scripturale (écrit) d'un signe. Le métaplasme porte sur les phonèmes, les lettres, les syllabes. Exemples : Voilà mon beauf ! Kaspa ta vie !

▬▬ Nature des métaplasmes
□ Langue et métaplasmes. Dans l'évolution d'une langue, les transformations du signifiant obéissent à des lois phoniques comme la disparition du e muet ou le déplacement d'un son dans un mot (lat. *formaticu* > fromage). De même, les lallations, ou redoublements de phonèmes et de syllabes (papa, lolo) sont communes à tous les enfants qui commencent à parler. Enfin, certaines aphasies, perturbations de la communication verbale, provoquent des troubles comparables à des métaplasmes (suppression, adjonction, interversion de phonèmes).
□ Les métaplasmes comme écarts. Créés, consciemment ou inconsciemment, sur les modèles linguistiques, les métaplasmes sont produits par suppression, addition, répétition, permutation ou substitution de phonèmes (ou de lettres à l'écrit).
□ Métaplasmes et métagraphes. La perturbation du signifiant sonore entraîne presque toujours celle du signifiant scriptural (les lettres du mot). Le métaplasme scriptural est parfois appelé métagraphe. Exemple : / basiklɛt / entraîne le métagraphe « bacyclette ».

▬▬ Effets des métaplasmes
□ Perçus d'abord au niveau du signifiant, les métaplasmes déclenchent rapidement des connotations. Elles dépendent d'abord du type de métaplasme : une contrepèterie est presque toujours comique, une allitération sert le rythme et la musicalité.
□ Les métaplasmes révèlent le signifiant comme un objet sonore dispensateur de plaisir esthétique. Ils sont toujours surprenants : selon une loi psychologique connue, la perturbation d'un seul phonème crée un mot totalement différent ! Une « carcosse » n'est plus une « carcasse » !

▬▬ Situations d'emploi des métaplasmes
□ La poésie. L'usage de la rime, de l'allitération, de la paronomase, de l'invention de mots font de la poésie le merveilleux domaine du possible, de la fantaisie, du plaisir… articulatoire.
□ La presse et la publicité. Les métaplasmes y sont utilisés pour l'accroche, la séduction par la surprise ou le rire (titres, slogans).

■ Les différents types de métaplasmes

Les métaplasmes sont classés selon leur fonctionnement.

Métaplasmes	Exemples
Par suppression	À la fac (= faculté) j'ai rencontré Manu (= Emmanuelle).
Par adjonction	Madeuleine cherche un estrapontin hénaurme.
Par répétition	Chic, choc, chouette, dimanche (publicité pour un journal).
Par permutation	Un mot de vous / un mou de veau (contrepèterie).
Par substitution	J'aime bien faire de la bacyclette.
Par calembour	L'annonce apostolique (nonce apostolique).

■ Exercice

1. Le texte suivant contient de nombreux métaplasmes. Dans un tableau, relevez ces métaplasmes, classez-les et indiquez les effets qu'ils produisent.
2. Dans le même ton et avec les mêmes procédés, continuez le texte en évoquant les difficultés, pour le mousse, à sortir de la chaudière.

LE MOUSS' DE LA PI-OUÏT…

Le mouss' de la Pi-ouït
Il est tombé à l'eau…

Il est tombé à l'eau
Aspiré par la pompe
Hélas ! quelle misère !
Et l'eau comme ça trompe !
Aspiré par la pompe,
Chu, chu, la pompe à air,
Aspiré par la pompe
Rentra dans l'condenseur.

… Rentra dans l'condenseur,
Lors le mécanicien, chu, chu, chu, eut
[besoin
D'alimenter, chu, chu, limenter sa
[chaudière,
Ouvre le robinet…
Disposé pour c't' effet…
Ouvre le robinet…
Qu'est-c' qui lui pend au nez ?

Lors le mécanicien,
Chu, chu, chu, eut besoin
D'alimenter, chu, chu, limenter sa
[chaudière,
Ouvre le robinet
Disposé pour c't' effet…
Ouvre le robinet…
Qu'est-ce qui lui pend au nez ?

Glouglou, le mousse rentre – ō c'que c'est
[que de nous !
Glouglou, le mousse rentre – ō c'que c'est
[que de nous !
Glouglou, le mousse rentre, entre dans la
[chaudière
Tout comme un aspirant, un aspirant
[d'la mer
Pris tout au fond de l'eau, pris par un
[courant d'air ;
Le mousse est aspiré, rentre dans la
[chaudière…

A. Jarry, *La Dragonne*, 1943

Étranges signifiants

L'invention de noms propres, la création de marques commerciales, l'élaboration de titres de presse permettent de jouer sur la cocasserie, l'exotisme, la surprise amusée et même la parodie.
Exemples : la ville de Valdberghoff-trarbk-dikdorff, imaginée par Voltaire dans *Candide*, est allemande ; dans la célèbre série des Astérix, Moralélastix, Abraracourcix sont évidemment gaulois. Et comment ne pas être japonais quand on se nomme Yamamotokadératé ? Odélys pour peaux sensibles, Mondeo, Xantia, Twingo noms de voitures, Clairalfa pour la photocopie évoquent facilement les qualités requises des objets à vendre.

LANGUE ET STYLE

MÉTAPLASMES

MÉTRIQUE

CHOIX DES MOTS

COMBINAISON DE MOTS

TYPOLOGIE DE TEXTES

Métaplasmes par suppression

Les métaplasmes par suppression consistent en une élision de sons, de lettres ou de syllabes dans un mot. Le résultat est toujours une réduction, un abrègement du terme.

■■■■■ L'aphérèse

□ Définition : à l'oral, suppression de phonèmes (unités de son) ou de syllabes au début d'un mot ; à l'écrit, suppression de lettres ou de syllabes. Exemples : Pour aller voir man, j'ai pris le bus. Son pitaine lui a collé huit jours de taule !

□ Effets et utilisation. L'aphérèse caractérise l'oral au registre familier. Utilisable dans les récits réalistes, au théâtre, dans la publicité pour accrocher le lecteur.

■■■■■ L'apocope

□ Définition : à l'oral, suppression de phonèmes ou de syllabes à la fin d'un mot. À l'écrit, suppression de lettres ou de syllabes. Exemple : un ado (= adolescent), le ciné (= cinématographe), les restos du cœur, les intellos (= intellectuels), quatre heures du mat (= matin), j'ai vu la terr'tourner…

□ Effets et utilisation. Connotations de la surprise, du comique, de la familiarité. Utilisable dans la littérature réaliste où l'auteur imite l'oral, retient les modes du langage, cherche à écrire vrai, dans la presse (titres accrocheurs) et la publicité.

■■■■■ La syncope

□ Définition : à l'oral, suppression de phonèmes ou de syllabes à l'intérieur d'un mot. À l'écrit, suppression de lettres ou de syllabes. Souvent, une apostrophe remplace le phonème disparu. Exemples : un rican'ment, Mame (Madame), Sév'rine.

□ Effets et utilisation. La syncope caractérise la langue orale. Utilisable dans les récits, les dialogues qui entendent restituer la vérité du langage parlé.

■■■■■ La synérèse

□ Définition. Écart de prononciation qui réduit deux syllabes à une.

Il revenait chaque matin
Les yeux brûlés de sci<u>u</u>re blonde
Son cœur épan<u>ou</u>i dans ses mains.   R.-G. Cadou, *L'aventure marine*, Buchet-Chastel, 1945

□ Effets et utilisation. Cette fusion de voyelles a pour effet de raccourcir le vers. C'est d'ailleurs la mesure du vers qui l'impose.

■■■■■ Abréviations et acronymes

□ L'abréviation est une réduction graphique, jusqu'à la seule lettre initiale : M. Untel, etc. (et cætera). Elle permet gain de temps et mise en valeur. Dans certains cas, elle correspond à une censure sociale : P… de m… ! C'est un c…

□ L'acronyme est la création d'un mot par réduction d'un ensemble de termes à leurs initiales : P.A.C. (Politique agricole commune). Un acronyme peut donner des dérivés : la C.G.T. crée des cégétistes. Très usité dans la presse.

SUPPRESSIONS CRÉATRICES

■ L'oral dans l'écrit

■ Les phénomènes de suppression de phonèmes peuvent être répercutés à l'écrit et y donner des effets de réel, surtout s'ils sont liés à un registre de langue familier ou argotique :

Dis, Môm', tu viens jusqu'aux fortifs ?
On s'allong'ra su' le gazon
et, si on pousse au « Robinson »,
on f'ra eun' partie d'balançoires,
on s'bécot'ra sous la tonnelle,
on bouff'ra des frit's ou des crêpes
et on boira l'apéritif.

Jehan Rictus, Le Cœur populaire,
Ed. d'Aujourd'hui, 1914

■ Raymond Queneau a souvent eu recours à l'orthographe phonétique. Exemple : skeutadittaleur (= ce que tu as dit tout à l'heure).

■ Le lipogramme

■ C'est un texte assez long dans lequel on s'interdit l'emploi d'une ou de plusieurs lettres.

■ Le lipogramme n'est pas toujours un jeu gratuit ou maniériste. Il a un pouvoir stimulant pour la recherche lexicale et l'imagination. Ainsi G. Pérec a pu réécrire « Brise marine », de Mallarmé, sans avoir recours à la lettre E.

■ Dans le lipogramme suivant, R. Queneau a banni les lettres A et E.

Ondoyons un poupon, dit Orgon, fils d'Ubu. Bouffons choux, bijoux, poux, puis du mou, du confit, buvons non point un grog : un punch. Il but du vin itou, du rhum, du whisky, du coco, puis il dormit sur un roc.

Oulipo, La Littérature potentielle, Gallimard, 1973

■ Exercice 1

Transformez le texte suivant en utilisant systématiquement des métaplasmes par suppression :

Il était neuf heures du matin. Avant de se rendre à l'exposition à motocyclette, Julie et Luc avaient le temps de prendre leur habituel décaféiné.
« Justement, voilà un mastroquet, dit Luc.
– Tu te fous de moi, répondit Julie. Tu as vu l'allure du garçon ? »

■ Exercice 2

Transformez le texte suivant en lipogramme en supprimant la lettre « i », donc en changeant un certain nombre de mots, mais en conservant l'idée générale :

Une nuit que Pierre garde ses brebis et ses chèvres, un bruit terrible retentit. Affolées, les bêtes s'enfuient. Et voici qu'un bouc fonce sur Pierre qui, pris de peur, commence à courir. Le bouc le poursuit et finit par le mordre.

Un phénomène linguistique : la suppression

■ Du latin au français, beaucoup de mots ont subi un raccourcissement selon la loi phonétique du moindre effort.

■ Dans la langue orale actuelle, on assiste à l'amuïssement (disparition progressive) du E neutre, dit « muet », à la fin des mots et même à l'intérieur. Ainsi, la prononciation normale de « chemin » et de « petite » est : « ch'min », « p'tit' ».

■ L'assimilation des consonnes caractérise la langue populaire : l'« examen » devient « ezamen » et « mademoiselle » « mamoiselle ».

■ La perte de syllabes finales est un phénomène courant : qui oserait aujourd'hui dire « vélocipède » pour « vélo » ou « métropolitain » pour « métro » ?

LANGUE ET STYLE

MÉTAPLASMES

MÉTRIQUE

CHOIX DES MOTS

COMBINAISON DE MOTS

TYPOLOGIE DE TEXTES

Métaplasmes par adjonction ou répétition

Additions, redoublements, répétitions, multiplications de phonèmes (unités de son), de lettres et de syllabes : ces métaplasmes
apparaissent en poésie, dans les textes comiques et la publicité.

▬▬ Métaplasmes par adjonction simple

L'ajout d'un ou plusieurs phonèmes (oral) ou lettres (écrit) crée ce type d'écart.
□ Au début d'un mot : la prosthèse. Les effets en sont souvent comiques. Par
exemple, on imite un certain langage populaire : *estrapontin, estagiaire.*
□ À la fin d'un mot. Jeu poétique qui s'apparente au néologisme gratuit, ou à un
jeu. Ainsi, les pensionnaires de la pension Vauquer, dans *le Père Goriot*, jouent à
ajouter des phonèmes à certains mots : « Eh bien, monsieurre Poiret, dit l'employé
du Muséum, comment va cette santérama ? » L'ajout d'un s en poésie permet le respect du mètre : jusques à quand ?
□ À l'intérieur d'un mot : l'épenthèse. Exemple : le "merdre" du Père Ubu.
□ Entre deux mots : le pataquès. C'est une feinte erreur de liaison. Exemple : J'y
suis-t-été, si tu ne vas pas à Lagardère, Lagardère ira-t-à toi. Effets comiques en
général : on parodie une certaine prononciation populaire.

▬▬ Métaplasmes par répétition

On redouble un phonème ou une syllabe.
□ Au début d'un mot. Exemples : bébête, fifille (gémination), va la pépé va la
pêcher toi-même (J. Prévert). Effets : parodie de la tautologie populaire, du bégaie-
ment ou des lallations des enfants qui commencent à parler (redoublements syllabiques), connotations burlesques…
□ À la fin d'un mot : l'écholalie. Ce redoublement de la dernière syllabe crée un effet
d'écho. Exemple : Amusons-nous, nous. La rime couronnée, apparentée à l'écholali-
lie, fait rimer deux mots qui se suivent : un pompiste cubiste, cette écrevisse rape-
tisse. Les effets dépendent du contexte (harmonie, cacophonie, poésie, drôlerie).

▬▬ Métaplasmes par multiplication

Ces métaplasmes naissent de l'enchaînement de mots possédant un ou plusieurs
phonèmes communs qui paraissent donc être multipliés. Les principaux sont :
– l'allitération : répétition de consonnes ;
– l'assonance : répétition de voyelles ;
– la consonance : suite de mots qui assonent ou riment ;
– la paronomase : suite de mots différents par le sens mais contenant plusieurs
phonèmes communs.

▬▬ La diérèse

Pour respecter la mesure d'un vers, la prononciation doit parfois dissocier un phonème en deux : c'est la diérèse. Exemple : L'insidieuse nuit m'a grisé trop longtemps. (J. Moréas). La diérèse a pour effet l'insistance et l'allongement.

ALLITÉRATION, ASSONANCE, PARONOMASE

■ La multiplication des phonèmes

En poésie et dans la prose poétique, au théâtre mais aussi dans les titres de presse et la publicité, la répétition du même phonème, perçue comme sa multiplication, crée des effets d'harmonie qui dépendent aussi du sens.

Allitération. La multiplication des sons /R/ et /K/ crée des connotations de surprise, de déchirement, de dureté...

Puis voilà qu'on croit voir, dans le ciel
          [balayé,
Pendre un grand crocodile au dos large et
          [rayé,
Aux trois rangs de dents acérées ;
V. Hugo, Soleils couchants

Assonance. La multiplication du son /u/ crée une harmonie imitative (le bruit des vagues) et celle du son /i/ souligne l'acuité des bruits et des sentiments.

Les houles, en roulant les images des
          cieux,
Mêlaient d'une façon solennelle et
          [mystique
Les tout-puissants accords de leur riche
          [musique
Aux couleurs du couchant reflété par mes
          [yeux.
Baudelaire, « La Vie antérieure »,
Les Fleurs du Mal, 1857

Paronomase. Les effets de soulignement provoqués par la paronomase sont exploités dans les proverbes et les maximes : « Vouloir, c'est pouvoir ». Des effets de cocasserie et de cacophonie apparaissent dans l'énoncé suivant :

« Le Craonnais, terre des choux, des chouans, des chouettes et des choucas, qui crient autour des clochers : Je croa, je croa ! ».
H. Bazin, Vipère au poing, Grasset, 1948

■ Exercice 1

1. Dans les énoncés suivants, repérez les métaplasmes.

2. Classez-les et indiquez les effets qu'ils provoquent.

Dans le ciel un képi un dépit un répit
Un épi de tristesse une note qui file
Une île de chagrin un gendarme en ville
Un képi sur la tête d'un baladin.
P. Seghers, Tahiti, Buchet-Chastel, 1945

Les manèges déménagent,
Manèges, ménageries, où ?...
    et pour quels voyages ?
Moi qui suis en ménage
Depuis... ah ! il y a bel âge !
De vous goûter, manèges,
Je n'ai plus... que n'ai-je ?...
L'âge.   M. Jacob, « Avenue du Maine », Éd. Gallimard

■ Exercice 2

Transformez le dialogue suivant en dialogue comique en y introduisant des métaplasmes variés.

– Germain, répondit la petite Marie, c'est donc décidé que vous m'aimez ?
– Ça te fâche, je le sais, mais ce n'est pas ma faute : si tu pouvais changer d'avis, je serais trop content, et sans doute je ne mérite pas que cela soit. Voyons, regarde-moi, Marie, je suis donc bien affreux ?
– Non, Germain, répondit-elle en souriant, vous êtes plus beau que moi.
G. Sand, La Mare au diable, 1846

Si six scies scient six cigares

■ Les métaplasmes par adjonction, répétition, multiplication de phonèmes peuvent aboutir à des montages assez gratuits qui ne dépassent guère le stade du farfelu. Ex : Si six scies scient six cigares, six cent six scies scient six cent six cigares.
■ En fait, les immenses possibilités de modulation des sons qu'ils représentent, par leur caractère ludique, poétique, étrange ou, au contraire leurs effets de réel, les intègrent au style. C'est ce qu'ont bien compris des auteurs comme Prévert, Queneau ou Fombeure, mais aussi les publicitaires et les journalistes.

LANGUE ET STYLE

MÉTAPLASMES

MÉTRIQUE

CHOIX DES MOTS

COMBINAISON DE MOTS

TYPOLOGIE DE TEXTES

Permutations et substitutions

La permutation d'éléments sonores ou scripturaux provoque la rupture sémantique, souvent comique. Le remplacement de l'un de ces éléments par un élément étranger suscite surprise, rire ou énigme.

■■■■■ Permutations de phonèmes et de lettres

Métaplasmes	Définition, effets, emploi	Exemples
Métathèse	Inversion de phonèmes ou de lettres dans un mot. Effets : cocasserie, erreur feinte. Situations d'emploi : dialogues où se révèle un interlocuteur peu cultivé, jeux poétiques.	La spychologie, l'infractus (pour infarctus)
Anagramme	Permutation de phonèmes d'un mot pour obtenir un mot nouveau. Effets : cocasserie, remise en question des mots. Situations d'emploi : recherche de pseudonymes, poésie, publicité, jeu de scrabble.	Rimer/mirer, dire/ride. Alcofribas Nasier/François Rabelais
Palindrome	Cas particulier d'anagramme : le mot ou l'énoncé peut se lire de gauche à droite ou de droite à gauche.	Rêver/rêver, rime/émir

■■■■■ La contrepèterie

☐ Définition. La contrepèterie (ou contrepet) est fondée sur la permutation de phonèmes, de lettres ou de syllabes dans un ensemble de mots. Exemples : griller le pain/piller le grain ; il se douche dans deux mois/ il se mouche dans deux doigts.
☐ Fonctionnement. La contrepèterie se présente au lecteur comme une énigme : à lui d'effectuer la transformation. Une connivence auteur-lecteur s'instaure. Effets : surprise, comique, satire.
☐ Situations d'emploi. Il existe des recueils de contrepèteries et certains journaux, tel *Le Canard enchaîné*, s'en sont fait une spécialité. Les Surréalistes, Prévert et Desnos l'ont utilisée à des fins de dépaysement poétique.

■■■■■ Substitution de phonèmes ou de lettres

☐ Les paragrammes. Les fautes d'orthographe involontaires sont des lapsus. Volontaires, elles deviennent des métaplasmes. Dans les deux cas, le mot originel est brouillé, d'où les effets de surprise et de ridicule. Parfois le paragramme fait passer à un mot nouveau et des connotations variées apparaissent. Exemples : Je voudré que tu mécrive plu souvant… Il a relavé (relevé) la bête (tête) et prêté l'oseille (l'oreille).
☐ Imitation de parlers régionaux ou étrangers. Elle est utilisable à des fins réalistes (dialogues) et le plus souvent parodiques. Exemples : Boujou missié (imitation d'un Africain), Mon cherry, je suise très pressée de te revoir, tu me misses beaucoup (I miss you : tu me manques) (imitation de l'accent anglais).
☐ Écarts homophoniques. Deux possibilités : transcription phonétique d'un énoncé, transcription d'un énoncé en d'autres mots. Effets recherchés : l'insolite, la poésie, le jeu. Exemples : Kisékifrap ? J'aime l'arrêt public (république).

PALINDROMES

■ Variété des palindromes

Le groupe Oulipo a établi la typologie des palindromes.

Palindromes naturels. Un mot est le palindrome de lui-même (rêver/rêver) ou celui d'un autre mot (trace/écart)

Palindromes composés. Ils concernent un groupe de mots et peuvent utiliser une lettre relais.
Exemples : Salut !/ Tu l'as ? Et Luc colport(e) trop l'occulte.

Palindromes syllabiques. La lecture inversée se fait par syllabes.
Exemple : Holà ! Perds-tu, vicieux, les sens ?/Les cieux vitupèrent là-haut ! (Luc Étienne).

Palindromes verticaux. Les lettres z, x, s, o, N, retournées, restent les mêmes. Au contraire, b, d, h, m, u donnent respectivement q, p, y, w, n. L'utilisation de ces propriétés autorise les palindromes verticaux.

■ Permutation et substitution dans les langues

■ Nés du besoin de communiquer, les pidgins sont des parlers rudimentaires où se rencontrent des mots de deux langues, par exemple l'anglais et le chinois. Les créoles sont des pidgins (exemple : les créoles franco-africains). Tous ces parlers utilisent la substitution.
■ Le verlan est un argot codé fondé sur l'inversion des syllabes des mots. Exemple : ripou (pourri), situ (tissu).

■ Exercice 1

1. Dans ces extraits de *Corps et Biens*, repérez les métaplasmes de permutation (anagrammes, contrepèteries, palindromes) et de substitution (transcription homophonique, relais texte-image).

2. Dans un petit tableau, relevez-les et indiquez les effets obtenus.

La solution d'un sage est-elle la pollution
[d'un page ?
Ô mon crâne, étoile de nacre qui s'étiole.
Pourquoi votre incarnat est-il devenu si
terne, petite fille, dans cet internat où
[votre œil se cerna ?
Si le silence est d'or, Rrose Sélavy abaisse
[ses cils et s'endort.
Martyre de saint Sébastien :
Mieux que ses seins ses bas se tiennent.
Corbeaux qui déchiquetez le flanc des
beaux corps, quand éteindrez-vous les
[flambeaux ?
Dans vos cerveaux

R. Desnos, *Corps et Biens,* Gallimard, 1953

■ Exercice 2

1. Décodez les contrepèteries suivantes.
2. Quels effets produisent-elles ?
3. Pourriez-vous en inventer deux ou trois autres ?

Ôtez-vous, les canards !
Il lui a passé le mot
Pouvez-vous danser en calèche ?
Pierrot a peur des fèves acides.

Contrepèteries et tabous

■ La plupart du temps, les contrepèteries sont de l'ordre de la gauloiserie ou de l'agressivité
Exemples : Le penseur Dédé/le danseur pédé (gauloiserie).
Ce polisson est inquiet/ce policier est un con (agressivité).
■ L'art du contrepet implique donc la levée de la censure sociale et des tabous sur le sexe et l'agressivité. Il permet aux pulsions humaines de se libérer symboliquement.

LANGUE ET STYLE

MÉTAPLASMES

MÉTRIQUE

CHOIX DES MOTS

COMBINAISON DE MOTS

TYPOLOGIE DE TEXTES

Le calembour

> **Les calembours sont des jeux de mots. Certains sont des métaplasmes fondés sur la similitude des sons. On les crée par substitution de phonèmes, homonymie ou homophonie. Une quatrième catégorie exploite la polysémie (= plusieurs sens) de certains mots.**

■■■■■ Les calembours par substitution de phonèmes

On obtient un calembour en substituant à un ou plusieurs phonèmes d'un mot un ou plusieurs autres phonèmes.

Exemple : *le sacre en poudre*. La substitution du A au U entraîne l'apparition d'un nouveau mot. Connotations : un sacre peu réussi, qui part en poussière. Parfois, ce mécanisme introduit un néologisme. Ainsi, un « merdrigal » est un madrigal irrévérencieux de L.-P. Fargue.

■■■■■ Les calembours par homonymie

On obtient un calembour en utilisant l'homophonie (mots phonétiquement identiques mais d'orthographe et de sens différents, comme *pin* et *pain*).

Exemples : *Changeons de thon*. Le lecteur attend le *ton* et il rencontre le *thon* : il s'agit d'un article culinaire. *Les cochons volants veulent un aéroporc*. L'aéroport se spécialise !

■■■■■ Les calembours par homophonie

Une suite de phonèmes peut être parfois découpée de deux ou plusieurs façons, ce qui donne des énoncés différents. C'est un cas d'homophonie. Ainsi, la suite/lagaRsela/peut se décoder de deux manières : *la gare, c'est là* ou bien *la garce est là*.

Exemple : Les conquérants :

　　　Terre… Horizon… Terrorisons.　　　J. Prévert, *Spectacle*, Gallimard, 1946

Connotations : révolte, ironie grinçante.

■■■■■ Effets des calembours

☐ La rupture isotopique. La substitution d'un sens à un autre déclenche un brusque changement d'isotopie, c'est-à-dire de secteur du réel. D'où les effets d'étrangeté, d'apparition d'un univers fantaisiste.

☐ La rupture comique. Très souvent, la rupture isotopique entraîne le rire et l'humour.

■■■■■ Situations d'emploi des calembours

☐ Littérature : poésie et théâtre comique semblent monopoliser les jeux de mots.

☐ Presse et publicité. Pour attirer l'attention du destinataire, le faire sourire pour provoquer son adhésion, la presse, par ses titres, et la publicité, par ses slogans, utilisent des calembours.

LES PRINCIPES DE L'HOMOMORPHISME

■ Homomorphismes

Le groupe OULIPO (Ouvroir de littérature potentielle) a proposé des créations d'énoncés selon les principes de l'homomorphisme. Ces procédés s'apparentent au calembour.

L'homovocalisme. On change les consonnes d'un énoncé de base et on conserve les voyelles.
Exemple : L'Afrique est belle / Ma fille est reine

L'homoconsonantisme. Les voyelles changent et les consonnes restent.
Exemple :
L'Afrique est belle / L'affreux qui balaie.

Des vers holorimes. Le second vers reproduit phonétiquement le vers de base.
Gal, amant de la reine, alla, tour magnanime
Galamment de l'arène à la tour Magne, à Nîmes. Marc Monnier

Utilisation des homomorphismes. Ces jeux de mots peuvent permettre la rédaction de textes cocasses, poétiques, humoristiques d'autant que les contraintes imposées rendent la créativité obligatoire.

■ Les calembours par polysémie

La polysémie (un mot, plusieurs sens) est utilisable dans la production de certains calembours. Elle permet de provoquer le passage bref d'une isotopie à l'autre. Cet écart n'est pas un métaplasme.
Exemple : On a volé tes sabots ? – Oui, c'est le cheval !

■ Exercice 1

Transformez ces proverbes en utilisant des calembours par substitution de phonèmes. Recherchez les effets cocasses et poétiques.

L'appétit vient en mangeant.
Il faut qu'une porte soit ouverte ou fermée.
Les murs ont des oreilles.
La fortune sourit aux audacieux.
La raison du plus fort est toujours la meilleure.
Il faut laver son linge sale en famille.

■ Exercice 2

Créez des calembours par homonymie à partir des homonymes suivants et employez-les dans des phrases.
Homonymes : pain/pin, saint/ sein/ seing, coup/ cou/ coût, dé/dey/dais.

■ Exercice 3

Cherchez dans le dictionnaire cinq mots longs à partir desquels on peut créer des calembours par homophonie.
Exemple : vocalise → le veau qu'a Lise.

■ Exercice 4

Créez des calembours par polysémie à partir des mots suivants : exécuter, vache, facteur, cloche, absorber.

Le calembour fait vendre

Le désir d'évasion, le besoin de rire sont des motivations connues de l'être humain. Elles répondent au principe de plaisir qui, selon Freud, régit les pulsions inconscientes. Or le calembour a précisément pour effets le dépaysement et/ou le rire. Il est donc intéressant de l'utiliser pour attirer les lecteurs, dans les titres de presse ou les slogans publicitaires.
Exemples :
C'est bon de craquer (Publicité pour des biscuits)
Le commissaire-repriseur des chaussettes (Titre de presse)
Un Tchèque sans provision (Presse)

LANGUE ET STYLE

MÉTAPLASMES

MÉTRIQUE

CHOIX DES MOTS

COMBINAISON DE MOTS

TYPOLOGIE DE TEXTES

Forgeries et mots-valises

> Dans la langue, tout signifiant (= partie sonore du signe), dès qu'il est entendu, déclenche l'idée qui s'y rattache et qui se réfère à la réalité. Ainsi fonctionne la pensée. Ce fonctionnement est perturbé par l'invention de signifiants qui paraissent étrangers au monde réel.

▬▬▬ Les mots forgés

□ Définition. On appelle mot forgé (ou forgerie) un mot dont le signifiant est inventé par un auteur. C'est donc un néologisme (mot nouveau) particulier qui semble ne conduire à aucun concept précis et n'avoir aucun référent (êtres, objets réels).
Exemple : un scabitor a pitelé les dréfales.

Trois signifiants sans signifié (= l'idée générale) ni référent reconnaissables.

□ Fonctionnement. La formation d'un mot forgé semble obéir à trois procédés.

L'association phonique	Harmonica peut « donner » hirmanouquette, ermitola, arbolidon.
La prédilection phonique	Chacun a ses sons préférés, qu'il utilisera inconsciemment dans le signifiant créé.
La croyance à la signification des sons	Si à un phonème (unité de son) correspond une signification, un signifiant, assemblage de phonèmes, correspond à leur somme sémantique.

□ Effets. Ce sont le dépaysement, l'impression de gratuité, la fantaisie cocasse, la poésie, la musicalité.

□ Situations d'emploi. Les jeunes enfants créent souvent des signifiants qu'ils aiment répéter. Les comptines pour enfants, textes parfois chantés liés à une gestuelle ou à un jeu (compter des doigts, des pas, des gestes) sont en grande partie composées de mots forgés. Autres emplois : la poésie, le conte (formules d'entrée et de clôture : cric ! crac !), les paroles rituelles.

▬▬▬ Les mots-valises

□ Définition. On appelle mot-valise un mot formé par l'amalgame de deux autres mots. C'est donc un néologisme. Exemple : un lutinbalier, (lutin + timbalier), un assassinge (assassin + singe), le rugbypède (rugby + bipède).

□ Fonctionnement. Généralement, la création du mot-valise implique l'homophonie de la fin du premier mot de base et du début du second.

Exemple : Phonèmes communs

□ Effets. Le lecteur comprend sans trop de difficultés puisque les mots constitutifs appartiennent à la langue. Il découvre donc le sens et les connotations du néologisme, souvent poétiques ou humoristiques.

□ Situations d'emploi. La poésie mais aussi la presse (titres accrocheurs, inattendus, humoristiques), les écrits polémiques (à partir du nom d'un homme politique), la publicité.

FORGERIES ET TEXTES

■ Les deux types de forgeries

■ Certaines forgeries semblent n'avoir ni signifié (idée générale, image mentale) ni référent. Leur gratuité risque de désorienter le lecteur.

Le potifère tarissolé mole un grinime de casbola.

■ D'autres forgeries, par la parenté qu'elles offrent avec des mots connus (homophonie partielle, ressemblance sémantique) ou le sens qu'elles tirent du contexte, sont plus faciles à décoder et le lecteur en tire un maximum de connotations.

Il l'emparouille et l'endosque contre terre ;
Il le rague et le roupète jusqu'à son drâle ;
Il le pratèle et le libucque et lui barufle les
[ouillais…

H. Michaux, « le Grand Combat »,
l'Espace du Dedans, Gallimard, 1945

■ La tentative lettriste

Le mouvement lettriste fondé en 1945 par J.-I. Isou, entend révolutionner le langage et, en poésie, se passer complètement des mots. Il s'agit donc pour l'auteur de créer de nouveaux signifiants, « morceaux sonores » débarrassés du sens habituel des mots. En somme, Isou a justifié une poésie faite de forgeries à prétention rythmique et musicale qui n'a jamais eu le succès escompté tant l'approche en est difficile.

Marrr bzzz bzzz
Azozé rémouza
Zantiboz aumiz
    Chœur : Bzzz bzzz bzzz, etc.
Zinezivo zamiva
Frozitanboul
Tiiii bzzz bzzz
Otiz adorazi
Redoz enzori
    Chœur : Bzzz bzzz bzzz, etc.

Jacqueline Panhelleux, « Ze Zozote »,
la Poésie lettriste, D.R. Seghers, 1974.

■ Exercice 1

1. Repérez et relevez les forgeries.
2. Quelles significations leur donnez-vous ? Pourquoi ?

Je lorulote, je débagote,
Je fais quatre repas,
Je gorenflote, je travaillote,
Je pisse sur mes bottes
— Eh bien oui, j'en suis là ! —

Je souffle la loupiote,
Je pêche la lamproie,
Mais ça rupine, mais ça boulotte,
Chez moi je suis mon roi

M. Fombeure, « Poussivité »,
Les Étoiles brûlées, Gallimard, 1950

■ Exercice 2

1. Créez cinq mots-valises par union des mots suivants et de ceux dont les premières lettres correspondent phonétiquement aux dernières des mots donnés.
2. Quel est leur sens ?
3. Employez-les chacun dans une courte phrase poétique et/ou humoristique.
Exemple : bachelier + lièvre = bachelièvre (bachelier rapide et rusé).
Phrase : Rien ne résistait à ce bachelièvre : ni l'hypocrisie redoutable de l'examinateur, ni les terribles questions sur l'origine du feldspath.
Mots donnés : marabout, amiral, escargot, persan, Zorro.

■ Exercice 3

Écrivez un court poème lettriste sur les bruits de voitures, de trains et d'avions.

LANGUE ET STYLE

MÉTAPLASMES

MÉTRIQUE

CHOIX DES MOTS

COMBINAISON DE MOTS

TYPOLOGIE DE TEXTES

Les calligrammes

> Partiellement ou en totalité, les mots et les phrases peuvent être transformés en dessins, appelés calligrammes. Ces calligrammes donnent au texte une dimension iconique puisqu'ils le font ressembler aux éléments du réel qu'il évoque.

Le calligramme de mots

□ Définition. Le mot entier ou bien quelques lettres deviennent un dessin.

Emboîtement de lettres		= vol, évocation d'un oiseau		= œuf, rapport de ressemblance
Chevauchement de lettres	AMOUR	= amour, avec connotations de l'union	CA	= Crédit agricole, avec les connotations d'élan et d'allant
Gradation des lettres	HORIZON ARRÊTE !			La gradation peut-être ascendante ou descendante (exprimer l'intensité, le mouvement...)
Iconicité des graphèmes	EUROPE1		ETOILE	L'iconicité d'un seul graphème peut suffire

Le calligramme séquentiel

□ Définition. Un groupe de mots, une phrase, un texte entier deviennent un ou

Spatialisation des groupes et des phrases	Groupes de mots et phrases sont disposés sur des droites verticales ou obliques et sur des courbes. Effets : spatialisation, mise en page du texte, mouvement, nouvel ordre de lecture.
Disposition en dessin(s) figuratif(s)	On distingue deux cas : – Groupes de mots et phrases constituent un dessin qui évoque leur sens (= redondance) – Groupes de mots et phrases constituent un dessin qui donne un nouveau sens au texte Le tremblement des mots évoque celui de l'image → PLUS UN CAMESCOPE EST PETIT ET LÉGER, PLUS L'IMAGE TREMBLE. Lac ou lèvres ? → Des lacs versicolores Dans les glaciers solaires

plusieurs dessins évoquant le sens de l'énoncé.

Situations d'emploi des calligrammes

□ La poésie. Inventés par Guillaume Apollinaire et d'abord appelés « idéogrammes lyriques », les calligrammes renouvellent la poésie.

□ La publicité use du calligramme de mots et de spatialisation.

MUTATIONS ICONIQUES

■ Les phrases-dessins

Le calligramme séquentiel utilise la signification symbolique des lignes ou le dessin franchement figuratif.

Le sens des lignes. L'accord se fait ici entre le sens de la phrase, la portée musicale, la ligne mélodique.

Lignes et dessins. Apollinaire utilise les droites horizontales, verticales, obliques et une courbe pour symboliser la diffusion des ondes. Mieux, les lignes des phrases deviennent un dessin figuratif de l'émission des ondes hertziennes.

G. Apollinaire, *Calligrammes*, Gallimard, 1925

■ Exercice 1

1. Imaginez la scène suivante : un homme debout invite une femme à danser. Elle désirait cette invitation : « Alors, il va se décider, oui ou non ? » pensait-elle. Il lui dit « Mademoiselle, vous dansez ? » Elle répond : « Avec plaisir, Monsieur ».

2. Figurez cette scène et ces paroles dans un calligramme où le monsieur sera un M et la dame un A iconiques.

■ Exercice 2

Créez trois calligrammes séquentiels à partir du poème suivant, intitulé « Cœur couronne et miroir » :

1. Mon cœur pareil à une flamme renversée
2. Les Rois qui meurent tour à tour Renaissent au cœur des poètes
3. Dans ce miroir je suis enclos, vivant et vrai
   comme on imagine les anges
   et non comme sont les reflets

Guillaume Apollinaire
Éd. Gallimard, 1925

Le réel, le mot, l'image

■ Les linguistes disent que les signes de l'écriture sont arbitraires : le mot « forêt » ne ressemble pas à une forêt et le mot « fourrure » ne tient pas chaud. Au contraire, la photo d'une forêt ressemble à une forêt.

■ Mais est-ce aussi simple ? Quand Magritte dessina une pipe et qu'il écrivit au-dessous « ceci n'est pas une pipe », il marquait la liaison somme toute arbitraire elle aussi entre l'objet et son image.

■ Un pas de plus : pourquoi le poète ne transformerait-il pas lettres, mots et phrases en dessins évoquant la réalité ? C'est l'idée même des calligrammes.

LANGUE ET STYLE

MÉTAPLASMES

MÉTRIQUE

CHOIX DES MOTS

COMBINAISON DE MOTS

TYPOLOGIE DE TEXTES

Les graphismes

Les lettres entrelacées et, surtout, les lettres et les mots associés à des idéogrammes ou à des formes géométriques peuvent donner naissance à des messages brefs très particuliers, de nature à la fois scripturale et graphique.

▬ Les idéogrammes

☐ Définition. On appelle idéogramme un signe graphique qui exprime un mot ou une idée. L'écriture idéographique utilise les idéogrammes.

☐ Les trois types d'idéogrammes

Pictogrammes	Signes iconiques (le signe ressemble à l'être ou à l'objet exprimé).		Exemple : Virage à droite
Idéogrammes	Signes iconiques induisant une signification symbolique (= sens second, déplacé).		Exemple : La vague Culligan évoque les piscines à vendre
Idéogrammes non figuratifs	Signes conventionnels sans référence au réel exprimé.		Exemple : Le contrôle fonctionne (signalisation aérienne)

☐ Effets et situations d'emploi. Dans l'univers actuel, les idéogrammes sont largement employés : ils sont souvent universels (code de la route, des signaux de marine, etc.) et d'une perception facile. Couplés avec des mots, ils participent au message : annonce de rubriques, météo, cartes imagées, schémas, calligrammes, bandes dessinées. Si leur création est originale, ils peuvent participer au style.

▬ Le monogramme

☐ Un monogramme est composé de l'initiale d'un nom ou bien, le plus souvent, de plusieurs lettres de ce nom entrelacées, donc réduites à un seul signe. Exemples : ₵ (Clémence Isaure), Ⱨ (Vinaigre Hutel).

☐ Situations d'emploi : signature, « chiffres » (on marque le linge, l'argenterie, les livres…), marques commerciales, etc.

▬ Le logo

☐ Définition. Le logo (abréviation de logotype) est l'emblème d'une institution, d'une organisation ou d'une entreprise. Contrairement au monogramme, il est fait de quelques signes étroitement reliés.

☐ Éléments constitutifs d'un logo : graphèmes, mots, idéogrammes.
Les pictogrammes, trop directs, sont rares. Par contre, les idéogrammes, symboliques ou non figuratifs, sont largement présents.

☐ Le style du logo. Le choix original des éléments et leur agencement à la fois logique et esthétique donnent son style à un logo.

LETTRES ET DESSINS

■ Le chrisme

Le chrisme, monogramme du Christ, fait de l'entrelacement des deux premières lettres grecques de Khristos (χ, le khi, ρ, le rô) et souvent associé à α (alpha) et ω (oméga), est chargé de multiples significations symboliques.

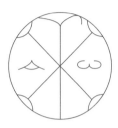

Lettres	Symbolisme
χ	Régulation du monde, croix du Christ, passage au mystère (x en algèbre), image du nombre X (= la multiplication) magique pour Pythagore...
χ et ρ entre- lacés	Symbolisent le 6 (6 branches) qui, lui- même, évoque le divin (6 jours de la Création), l'essentiel (cf. l'astérisque*), le magique (6 = 1 + 2 + 3 ; 6 = 1x2x3 ; $\frac{6}{3}x\frac{6}{2} = \frac{36}{6} = 6$)
α et ω	Commencement et fin du monde
Les 4 lettres	Associées, elles donnent αρχω = arkô = je commande

■ Éléments d'un logo

Graphème, mot	Idéogramme symbolique	Idéogramme non figuratif
Volkswagen	Peugeot	France Telecom

■ Exercice 1

1. Repérez les éléments constitutifs de ce logo et classez-les.
2. Quelles sont les significations symbo- liques de chaque élément ? Quelle est celle de l'ensemble ?

■ Exercice 2

1. Inventez un logo fait d'un nom et d'un idéogramme symbolique.
2. Inventez un logo fait d'un nom, d'un idéogramme symbolique et d'éléments géométriques.

Fonctions d'un logo

Le logo assume plusieurs fonctions de la communication.

Fonction référentielle. Il se réfère au réel et suggère par exemple les produits fabriqués par une entreprise.

Fonction expressive. Il est une signa- ture et le choix de ses éléments révèle l'orientation de l'entreprise. Par exemple, le lion Peugeot évoque puissance méca- nique et agressivité commerciale.

Fonction poétique. Le logo doit créer un plaisir esthétique, d'où l'utilisation des couleurs, l'équilibrage de la composition et la forte charge symbolique. Les sym- boles utilisés sont généralement très codés. Ils correspondent le plus souvent à des écarts de style comme la métaphore (Peugeot ressemble à un lion agressif), la synecdoque (une flamme, une cuiller, un élément de plaque chauffante symboli- sent les parties du tout Scholtès), la méto- nymie (les cornues de SANOFI sont la cause des effets : les produits fabriqués).

LANGUE ET STYLE

MÉTAPLASMES

MÉTRIQUE

CHOIX DES MOTS

COMBINAISON DE MOTS

TYPOLOGIE DE TEXTES

S'exprimer en vers

Par rapport à la prose, le poème en vers traditionnels peut paraître insolite et… fou. C'est qu'il obéit à des règles fixes et à des critères de construction spécifiques. À notre époque, ces normes paraissent très coercitives, d'où les connotations négatives de la prosodie classique.

Qu'est-ce qu'un vers ?

☐ Le vers français traditionnel est un ensemble de mots régi par des règles précises : décompte des syllabes, rime à la fin, rythme interne, retour à la ligne.

Accents toniques fixes   Césure   Accents toniques fixes

Nous étions seul à séul/e et marchions en rêvánt,   12 pieds
                                                        (= syllabes
Elle et moi, les chevéux / et la pensée au vent.   décomptées)

P. Verlaine, *Never more*

☐ Dans le vers libéré, apparu vers le milieu du siècle dernier, ces règles deviennent occasionnelles et l'auteur en invente d'autres pour se démarquer de la prose.

Vers et prose

☐ La poésie est a-normale. Ses règles impératives conduisent à définir le discours en vers comme une somme d'écarts par rapport à un énoncé prosaïque neutre que Barthes appelait le « degré zéro de l'écriture » (phrases du type SUJET+VERBE+COMPLÉMENT, mots précis et dénotatifs).
☐ Le signifiant objet sonore. Les règles de la versification donnent aux signifiants (=éléments phoniques des mots) une énorme importance. Ils deviennent des objets sonores dont les connotations rejoignent celles des idées exprimées.

Le parallélisme comme essence du vers

Le caractère fondamental du discours en vers est le parallélisme, c'est-à-dire un système de répétitions et de correspondances de structures.
☐ Le niveau phonique. On perçoit des répétitions de rimes, d'accents et de pauses, parfois de phonèmes.
☐ Le niveau grammatical. D'un vers à un autre ou d'une strophe aux autres, les mêmes types de groupes de mots ou de phrases se retrouvent.
☐ Le niveau sémantique. Les parallélismes précédents induisent souvent celui des idées et des sentiments.

Les effets du discours en vers

☐ Un discours spécifique. Les règles de la versification et du parallélisme rendent le poème proche de la musique et de la danse.
☐ La richesse connotative. Elle est théoriquement supérieure à celle de la prose puisque le traitement des signifiants produit des effets particuliers.
☐ Le respect trop strict des règles risque de produire des versificateurs et non plus des poètes.

POURQUOI ÉCRIRE EN VERS ?

■ Le plaisir poétique

Le poème de Jean Desmeuzes en témoigne, le plaisir poétique est composite et il échappe aux classifications trop strictes. On retiendra cependant :
- le plaisir des sons (rimes, mots russes exotiques) ;
- le plaisir du rythme, très allègre ici (vers de 5 pieds, parallélisme et rupture de la troisième strophe) ;
- le plaisir intellectuel (scène évoquée, humour) ;
- le plaisir sensible (amour, érotisme, émois personnels).

SOKOLNIKI
Par un soir tout gris
De sainte Russie,
Je revis Zemlie,
Zemlianitchka,
Rose en sa datcha
De Sokolniki.

Vivaient sous son toit
Buvant sa vodka,
Quelques doux loufoques,
Des zazous sortis
Des péréouloks
De Pitchipoï,

Elle avait aussi
Sa voix de silence
Et je la compris
Vu la circonstance.

Je l'aimai la nuit
Près du samovar
Quand tous les loubards
Se furent enfuis.
Ses doigts tout petits
Dressaient en épis
Mes cheveux épars,

Près du Samovar,
À Sokolniki
Comme au temps du Tsar

J. Desmeuzes, *D'une voix de silence,*
Éd. Caractères, 1992

■ Exercice 1

1. Dans ce texte, comment se manifeste le parallélisme phonique ?

2. Comment se manifeste le parallélisme grammatical ?

PETIT MATIN
Je te reconnaîtrai aux algues de la mer
au sel de tes cheveux aux herbes de tes
[mains
Je te reconnaîtrai au profond des
[paupières
je fermerai les yeux tu me prendras la
[main
Je te reconnaîtrai quand tu viendras
[pieds nus
sur les sentiers brûlants d'odeurs et de
[soleil
les cheveux ruisselants sur tes épaules
[nues
et les seins ombragés des palmes du
[sommeil.

Je laisserai alors s'envoler les oiseaux
les oiseaux long-courriers qui traversent
[les mers
Les étoiles aux vents courberont leurs
[fuseaux
les oiseaux très pressés fuiront dans le
[ciel clair

C. Roy, *Poésies,* Gallimard, 1946

■ Exercice 2

Pour votre plaisir, essayez de terminer le poème de Claude Roy (deux quatrains) ou bien, dans le ton de Jean Desmeuzes, écrivez un poème court.

Les vers et la mémoire

■ Dans toutes les cultures, le vers précède la prose : oracles, proverbes, comptines sont versifiés. C'est que la parole rythmée s'imprime mieux dans la mémoire.
■ Ce n'est donc pas un hasard si, lors de la Seconde Guerre mondiale, les poètes emprisonnés, privés de papier et de stylo, sont revenus aux règles de la versification. Comme l'a écrit G. Audisio, arrêté par la Gestapo en 1943, « Comment eussé-je pu confier à ma mémoire les poèmes que je composais si je ne leur avais donné une forme qui s'imprimât sans bavures ? »

LANGUE ET STYLE

MÉTAPLASMES

MÉTRIQUE

CHOIX DES MOTS

COMBINAISON DE MOTS

TYPOLOGIE DE TEXTES

Le vers et la rime

À la frontière du vers traditionnel, l'assonance ou la rime. Comme un écho rythmé, un appel sonore au lecteur. D'autres significations naissent de l'alternance, de la disposition et de la richesse des rimes.

■■■■ L'assonance et la rime

□ L'assonance. C'est la répétition, à la fin des vers, de la dernière voyelle accentuée, c'est-à-dire prononcée fortement. Exemples : « costume » et « ulule », « mode » et « folle » assonent.
L'assonance caractérisait les chansons de gestes du Moyen Âge. Certains poètes actuels y reviennent parfois.
□ La rime. C'est la répétition, à la fin des vers, de la dernière voyelle accentuée et des phonèmes qui la suivent. Exemples : « avise » et « pactise », « capuchon » et « cruchon » riment. La rime est apparue au IXᵉ siècle, chez les troubadours.

■■■■ Rimes masculines et rimes féminines

□ Oxytons et paroxytons. À l'époque où la rime fut adoptée, tous les E muets se prononçaient. On distinguait donc facilement les oxytons, mots terminés par une syllabe accentuée (*poisson, moisson*) et les paroxytons, accentués sur l'avant-dernière syllabe, la dernière portant un E sourd (*réserve, conserve*).
□ Rimes masculines et rimes féminines. Les premières correspondent aux oxytons, les secondes aux paroxytons. Le principe de leur alternance a été retenu très tôt.

■■■■ La disposition des rimes

□ La disposition des rimes entraîne trois grands types d'alternance.

Rimes plates	aabb …chevelure/ …murmure/ …dureté/ …démarré.
Rimes croisées	abab chevelure/… dureté/… murmure/ …démarré.
Rimes embrassées	abba chevelure/ …dureté/ …démarré/ …murmure.

□ Autres solutions. Selon le type de strophes, d'autres combinaisons apparaissent : tierce rime (aba, bcd, cdd, etc.), rimes mêlées (réunion des trois combinaisons essentielles, par exemple, dans une strophe longue : ababccb).

■■■■ Les effets de la rime

□ Échos et rythme. Impression d'une pulsation, d'un écho que le lecteur attend, plaisir physique du rythme.
□ Effets d'étrangeté. La rime provoque des alliances insolites entre les mots, les rapproche métonymiquement (contiguïté) ou métaphoriquement (ressemblance). Exemples : « Chine » et… « voix argentine », « charme » et « larme ».
□ Alternance et connotations. L'alternance des rimes masculines et des rimes féminines crée une opposition rythmique long/moins long puisque le E muet ne disparaît pas totalement. Les rimes plates peuvent connoter la monotonie, la régularité, les rimes embrassées un univers clos, les rimes croisées une ouverture.

DIVERSITÉ ET RICHESSE DES RIMES

■ La richesse des rimes

Le refus des rimes banales ou minimales explique trois règles draconiennes de la versification : refus des rimes catégorielles (un nom rime avec un nom, un adjectif avec un adjectif, etc.), de la rime entre un mot et son composé (voir/revoir), de la rime réduite à une assonance (liberté / chardonneret).

Rimes pauvres : homophonie de la seule voyelle finale accentuée et de ce qui la suit. Exemple : rom <u>âne</u> / bar-bac<u>âne</u> ; dérap<u>ér</u> / renflou<u>ér</u>.

Rimes suffisantes : homophonie de la voyelle finale accentuée et de la consonne d'appui. Exemple : ro <u>máne</u> / é<u>máne</u> ; dérap<u>ér</u> / soup<u>ér</u>.

Rimes riches : homophonie de la voyelle finale accentuée, de la consonne d'appui et d'autres phonèmes qui la précèdent. Exemple : ro<u>máne</u> / melo<u>máne</u> ; dérap<u>ér</u> / par<u>apet</u>.

■ Rimes étranges

Rime léonine : dans un vers, les hémistiches (moitiés de vers) riment.

Rime batelée : la fin d'un vers rime avec la fin de l'hémistiche suivant.

Rime enchaînée : reprise de la rime au début du vers suivant . Exemple :
Par les debas et les crueulx desrois
Des roix   J. Molinet, *Justice*

■ Exercice 1

1. Comment les rimes sont-elles disposées ? Quels sont les effets produits ?
2. Classez ces rimes selon leur richesse.
3. Quelle règle classique l'auteur abandonne-t-elle ?

J'irai, j'irai porter ma couronne effeuillée
Au jardin de mon père où revit toute
[fleur ;

J'y répandrai longtemps mon âme
[agenouillée ;
Mon père a des secrets pour vaincre la
[douleur.

M. Desbordes-Valmore, *La Couronne effeuillée*

■ Exercice 2

1. Complétez ce texte selon ces indications : imparfait en 1 et 2, rime pauvre en 3, rime suffisante en 4.
2. Essayez de terminer ce poème sur les rimes suivantes : sarcelles / ailes, seul / linceul, suprêmes / blêmes, roseaux / eaux.

PROMENADE SENTIMENTALE

Le couchant ☐ ses rayons suprêmes
Et le vent ☐ les nénuphars ☐ ;
Les grands nénuphars, entre les ☐,
Tristement luisaient sur les calmes eaux.
Moi, j'errais tout seul, promenant ma plaie
Au long de l'étang, parmi la saulaie
Où la brume vague évoquait un grand
Fantôme laiteux se désespérant.

P. Verlaine, *Poèmes saturniens*, 1866

Recherches modernes

■ Apollinaire et d'autres poètes modernes préfèrent à l'alternance rimes masculines / rimes féminines une autre alternance : rimes vocaliques (insomnie / infini)/ rimes consonantiques (leitmotiv / locomotive).
Haletant son leitmotiv
Au pouls de mon insomnie,
Fonce une locomotive
Tractant le Transinfini.

H. Bazin, *jour*, Éd. du Seuil, 1971

■ Aragon a systématiquement exploré les possibilités de la rime : rime suspendue (absence de rime pour certains mots), rimes enchaînées, rimes enjambées.

LANGUE ET STYLE

MÉTAPLASMES

MÉTRIQUE

CHOIX DES MOTS

COMBINAISON DE MOTS

TYPOLOGIE DE TEXTES

Le vers et la mesure

Plus que la rime, c'est la mesure, fondée sur le nombre de pieds, qui distingue vraiment le vers de la prose. Ce nombre de pieds permet aussi de classer les vers en différents mètres selon leur longueur.

▰▰▰ Comment mesurer le vers ?

☐ Syllabes et pieds. Le vers français est dit syllabique et pourtant toutes les syllabes ne comptent pas. Traditionnellement, on appelle pied une syllabe qu'on doit prononcer.

☐ Le décompte des pieds. Il dépend du traitement du E muet. En fin de vers ou, à l'intérieur, devant un mot commençant par une voyelle, on doit l'élider : il ne se prononce pas.

Exemple : ◀── Élision ─────────── 15 syllabes mais 12 pieds

Je pens(e) à toi, Myrtho, divin(e) enchanteress(e),

Au Pausilipp(e) altier, de mille feux brillant.

◀── 13 syllabes mais 12 pieds ─────── G. de Nerval

☐ Les effets. Ces règles qui tiennent tantôt du code oral et tantôt du code écrit font du vers un énoncé spécifique et suggestif.

▰▰▰ Variations de mesure

☐ Rôle du E muet. Élidé, le E muet reste légèrement perceptible et provoque un allongement du vers. En revanche, non élidé, il raccourcit le vers : sa valeur sonore est aujourd'hui très atténuée. Effets : le poète peut utiliser subtilement ces virtualités pour éviter la monotonie et introduire des connotations.

☐ Diérèse et synérèse. Pour respecter la mesure, le lecteur est parfois conduit à dédoubler deux sons qui, normalement, sont prononcés groupés : c'est la diérèse. Inversement, la synérèse contracte deux sons habituellement distincts. Effets : la diérèse allonge le vers et la synérèse le raccourcit. (cf. pages 26 et 28).

▰▰▰ Les différents types de mètres

☐ On appelle mètre le nombre de pieds d'un vers. Théoriquement, une grande variété de mètres est possible. En fait, quelques-uns ont toujours été privilégiés dans la poésie traditionnelle.

☐ Les mètres pairs. Les vers de 2, 4, 6, 8, 10 et 12 pieds ont pour effets la régularité, la netteté, le découpage facile en segments (ex : l'alexandrin, vers de 12 pieds, est découpé en deux hémistiches de six pieds chacun).

☐ Les mètres impairs. Les vers de 1 ou 3 pieds, rarissimes, sont insécables. Pour les vers de 5, 7, 9 et 11 pieds, la coupe ne peut être régulière. D'où les effets de flou, de variété, de liberté que peuvent entraîner ces vers.

☐ Isométrie ou hétérométrie. Un poème peut être composé de vers de même mètre : il est dit isométrique. Lorsque l'auteur utilise différents mètres dans une strophe ou un poème, l'hétérométrie apparaît, avec des effets de variété.

POÉSIE ET NOMBRES

■ Tableau des mètres usuels

Pieds	Caractéristiques et exemples
12	C'est l'alexandrin, très représentatif de la versification française depuis Ronsard. Convient à tous les genres. Tu vois le feu du soir qui sort de [sa coquille Et tu vois la forêt enfouie dans la [fraîcheur <div align="right">P. Eluard</div>
11	Vers impair rare mais utilisé par les Symbolistes et les contemporains. Effets : légèreté, liberté. Dans un palais, soie et or, dans [Échatane, De beaux démons, des satans [adolescents <div align="right">P. Verlaine, *Crimen Amoris*</div>
10	Le décasyllabe était le vers des chansons de gestes. Couramment utilisé depuis cette époque surtout dans la poésie lyrique. Ce toit tranquille, où marchent [des colombes, Entre les pins palpite entre les [tombes <div align="right">P. Valéry, *Le Cimetière marin*</div>
9	Rarement utilisé avant Verlaine De la musique avant toute chose Et pour cela préfère l'Impair Plus vague et plus soluble dans [l'air <div align="right">P. Verlaine, *Art poétiqu*e</div>
8	L'octosyllabe fut très employé au Moyen Âge. Souvent allié à des vers plus longs, il reste couramment utilisé. Devant ma table vint s'asseoir Un pauvre enfant vêtu de noir <div align="right">A. de Musset, *Nuit de décembre*</div>

7	Aussi employé que l'octosyllabe C'estoit une belle brune Filant au clair de la lune <div align="right">Ronsard</div>
6	Fréquent dans les chansons médiévales. Dans Venise la rouge Pas un bateau ne bouge. <div align="right">Musset, *Venise*</div>
5	Vers constamment utilisé Elle est retrouvée. Quoi ? L'éternité. A. Rimbaud
4	Convient aux genres légers. La lune blanche Luit dans les bois. P. Verlaine

■ Exercice 1

1. Quel mètre est utilisé dans ce poème ?
2. Relevez deux diérèses. Quels effets produisent-elles ?
3. Quels effets produisent les E muets ?

Les coquelicots noirs et les bleuets fanés
Dans le foin capiteux qui réjouit l'étable,
La lettre jaunie où mon aïeul respectable
À mon aïeule fit des serments surannés,
La tabatière où mon grand-oncle a mis le
[nez,
Le trictrac incrusté sur la petite table
Me ravissent. Ainsi dans un temps
[supputable
Mes vers vous raviront, vous qui n'êtes
[pas nés.
Ch. Cros, *Avenir*

■ Exercice 2

Transformez ces vers de 7, 9 et 11 pieds en vers de 8, 10 et 12 pieds :

Me plaît le beau temps de Pâques
Il fait noir, fils, voleur d'étincelles !
Heureux, j'allongeai les jambes sous la
[table.

LANGUE ET STYLE
MÉTAPLASMES
MÉTRIQUE
CHOIX DES MOTS
COMBINAISON DE MOTS
TYPOLOGIE DE TEXTES

Le rythme du vers

> Le rythme naît du retour de temps forts à intervalles réguliers. La rime, les parallélismes syntaxiques, les répétitions contribuent à rythmer les vers mais le rôle essentiel revient aux accents et aux coupes.

■■■■ Accents toniques et accents rythmiques

☐ L'accent tonique. En français, chaque mot « plein » (verbe, nom, adjectif, adverbe) porte un accent tonique sur la dernière syllabe prononcée.
Exemples : balcon; éventuelle

☐ L'accent rythmique. Le poète utilise les accents toniques de certains mots pleins. Comme il les fait tomber à intervalles réguliers, il en fait des accents rythmiques ou temps forts. Chaque vers porte un accent rythmique fixe sur la dernière syllabe prononcée et un ou plusieurs autres, dont la place est variable.

Accents rythmiques

Exemple 1 : Les ajoncs éclatants parure du granit (J.-M. de Heredia)

Exemple 2 : Là, tout n'est qu'ordre et beauté (Ch. Baudelaire)

■■■■ Accents et coupes

☐ La coupe. La coupe est un arrêt bref de la voix après un accent rythmique. L'intervalle entre deux coupes est une mesure.

☐ La place des accents et des coupes. L'accent rythmique et la coupe qui le suit tombent à la fin d'une phrase, d'une proposition ou d'un groupe de mots. Telle est leur justification logique et grammaticale.

☐ La césure. C'est la coupe obligatoire de certains vers. Ainsi, la césure partage l'alexandrin classique en deux parties égales, les hémistiches. Le décasyllabe a deux césures possibles : 4/6 ou 5/5. Dans les vers plus courts, la césure est mobile.

Hémistiche ⎯ Césure

Exemple 1 : Je suis d'un pas rêveur / le sentier solitaire (Lamartine)

Je vous dois une lar / me au bord de mon tombeau (idem)
⎯ La césure coupe un paroxyton
(mot terminé par un E sourd).

Décasyllabes : 4 pieds + 6 pieds

Exemple 2 : Il est parti / quand le vent est venu.

Les cachalots / l'escortaient dans le Fjord   A. Frénaud, *Le Voyageur*
⎯ césure

■■■■ Schémas rythmiques

☐ Rythme binaire et rythme ternaire. Si le vers comprend 2 ou 4 accents toniques, le rythme est binaire (exemple : le vers de Heredia). Trois accents entraînent un rythme ternaire (exemple : le vers de Baudelaire).

☐ Les combinaisons rythmiques. Elles dépendent du nombre, de la succession, de la longueur des mesures.

SCHÉMAS RYTHMIQUES

■ Diversité des schémas rythmiques

Schémas binaires

Rythmes	Exemples
Régulier : 5+5 ; 3+3+3+3, etc.	En revenant⁴ / de la fontaine⁴ Elles dansaient⁴ / près du clocher⁴ V. Hugo
Symétrique : 3+2+3+2 ; 4+2+4+2, etc.	Éternité⁴ / ,néant² / ,passé² [,sombres abîmes⁴/ Que faites-vous⁴ / des jours² [que vous engloutissez⁴ Lamartine
Croissant : 2+4 ; 3+4+5, etc.	La fille³ / tte aux violettes⁴ Équivo³ / que, à l'œil cerné,⁴ Reste seul³ / e après la fête⁴ F. Carco
Décroissant : 5+2 ; 6+3, etc.	Le soleil des champs⁵ / croupit² Le soleil des bois⁵ / s'endort² P. Eluard

Schémas ternaires

Rythmes	Exemples
Régulier : 4+4+4 ; 3+3+3, etc.	Lorsqu'il hurlait⁴ / sur les tombeaux⁴ / comme un renard⁴ P. de la Tour du Pin
Croissant : 2+3+5 ; 2+4+6, etc.	C'était² / au beau milieu⁴ / de notre tragédie⁶ L. Aragon
Décroissant : 6+4+2 ; 5+3+2, etc.	Je me rappelle bien⁶ / les bars⁴ tristes / les cales² J. Cocteau

■ Exercice

1. Marquez les accents et les coupes.
2. Établissez le schéma rythmique, vers par vers.
3. Quels effets produisent les différents rythmes adoptés ?

Tout à coup, comme atteints d'une [rage
                insensée
Ces hommes, se levant à la même
                [pensée,
Portent la hache au tronc, font crouler à
              [leurs pieds
Ces dômes, où les nids s'étaient
              [multipliés ;
Et les brutes des bois, sortant de leurs
              [repaires,
Et les oiseaux, fuyant les cimes séculaires,
Contemplaient la ruine avec un œil
             [d'horreur…
Lamartine, *Jocelyn,* 1836

Rythmes de l'alexandrin

Le tétramètre. L'alexandrin classique est un tétramètre, c'est-à-dire un vers de 12 pieds, à 4 accents rythmiques et donc à 4 mesures. Deux tombent obligatoirement sur le 6e et le 12e pieds.
Les deux autres, qui doublent l'accent tonique de deux mots pleins, ont une place variable.

La fureúr³ / de mes feúx,³ / l'horreúr² / de mes⁴
            [remórds /
Racine, *Phèdre*, 1677

Le trimètre. Lorsque la césure de l'alexandrin est affaiblie ou inexistante, ce vers change de rythme. La césure médiane est remplacée par deux autres césures qui divisent le vers en trois mesures : c'est un trimètre.
                 ┌Trimètre

Elle peignait / ses cheveux d'or / je croyais
              [voir
Ses patien/tes mains / calmer / un
             [incendie
Aragon, *La Diane Française*, Seghers, 1945

LANGUE ET STYLE

MÉTAPLASMES

MÉTRIQUE

CHOIX DES MOTS

COMBINAISON DE MOTS

TYPOLOGIE DE TEXTES

Les ruptures de rythme

Nécessaires pour rompre la monotonie d'un rythme, passer d'un rythme à un autre, mettre des mots en valeur, les ruptures de rythme se font par introduction d'un schéma rythmique nouveau, par hétérométrie ou par enjambement.

■■■■■ D'un schéma rythmique à un autre

☐ **Les schémas rythmiques.** Selon la succession et la longueur des mesures (ensemble de pieds entre deux accents), différents schémas rythmiques sont utilisables. Ainsi pour un ensemble d'alexandrins, on peut avoir : un rythme régulier (3, 3, 3, 3, ou 4, 4, 4), un rythme symétrique (4, 2, 4, 2), un rythme croissant (2, 4, 6) ou décroissant (6, 4, 2).

Ces rythmes possibles sont de type binaire (2 ou 4 mesures) ou de type ternaire (3 mesures).

☐ **Le changement de rythme.** Le passage d'un schéma rythmique à un autre entraîne une rupture. Les effets en sont variés selon le contexte.

	Rythme			Accent rythmique		Rythme décroissant
Le doux / caboulot	2 + 3		La servan / te est brune /	3 + 2
Fleuri / sous les branches/	2 + 3		Que de gens / heureux ! /	3 + 2
Est, / tous les dimanches /	1 + 4		Chacun / sa chacune, /	2 + 3
Plein de populo /	5		L'une et l'un / font deux...	3 + 2

Insécable   Accélération

F. Carco, *Le Doux Caboulot*

■■■■■ D'un mètre à un autre : l'hétérométrie

L'hétérométrie, c'est l'utilisation de différents mètres dans la même strophe ou le même poème. Ces vers de longueur différente, appelés vers libres, créent une variété rythmique et des oppositions dont le poète tire parti. Exemple : les *Fables* de La Fontaine.

■■■■■ Les enjambements

☐ **Les deux types d'enjambements.** On appelle enjambement tout débordement d'un groupe de mots sur l'hémistiche (demi-vers) suivant. On distingue deux cas :

1. **Le rejet.** Un groupe placé à la fin d'un vers ou d'un hémistiche se termine au vers ou à l'hémistiche suivant. Les mots renvoyés au vers suivant constituent le rejet.

Il neigeait. Les blessés s'abritaient dans le ventre

Des chevaux morts ; au seuil / des bivouacs désolés   V. Hugo

← Rejet   ← Rejet à l'hémistiche

2. **Le contre-rejet.** Un mot ou groupe placé à la fin d'un vers ou d'un hémistiche appartient à une phrase qui se termine à l'hémistiche ou au vers suivant.

Contre-rejet

Ne parlons pas, écoute   Il eut froid. Vainement / il appela trois fois.

La pluie à grosses gouttes

Dégouliner du toit   F. Carco, A. Michel.   Contre-rejet à l'hémistiche

A. de Vigny

RYTHME ET ARYTHMIE

■ Rythme et arythmie des vers libérés

Les vers libérés. Ces vers sont d'iné-gale longueur, pairs ou impairs, et la rime y est inexistante ou occasionnelle.

Les compensations rythmiques. Pour que le rythme soit présent, le poète uti-lise des compensations.

Exemple : Prévert utilise des vers de 14, 13, 8, 8, 17, 7 pieds dont la signification justifie le mètre (17 pieds pour l'obscu-rité immense). Le rythme ternaire géné-ral tient à la succession des groupes de mots et... aux trois allumettes. Noter aussi les gradations (*la première*, *la seconde...*), les répétitions (*pour voir...*) et l'assonance *cela / bras*.

PARIS AT NIGHT
Trois allumettes une à une allumées dans
　　　　　　　　　　　　[la nuit
La première pour voir ton visage tout
　　　　　　　　　　　　　[entier
La seconde pour voir tes yeux
La dernière pour voir ta bouche
Et l'obscurité tout entière pour me
　　　　　　　　　[rappeler tout cela
En te serrant dans mes bras.

J. Prévert, *Paroles,* Gallimard, 1949

■ Exercice 1

1. Établissez le schéma rythmique de chaque vers.
2. Comment se justifient ces cinq sché-mas différents ?

Sur les Continents morts, les houles
　　　　　　　　　　　　[léthargiques
Où le dernier frisson d'un monde a
　　　　　　　　　　　　　[palpité
S'enflent dans le silence et dans
　　　　　　　　　　　　[l'immensité ;
Et le rouge Sahil, du fond des nuits
　　　　　　　　　　　　[tragiques,
Seul flambe, et darde aux flots son œil
　　　　　　　　　　　　[ensanglanté.

Leconte de Lisle, *L'Astre rouge*

■ Exercice 2

1. Repérez les rejets. Quels effets pro-duisent-ils ?
2. Y a-t-il un contre-rejet ? Où ?

Depuis huit jours, j'avais déchiré mes
　　　　　　　　　　　　[bottines
Aux cailloux des chemins. J'entrais à
　　　　　　　　　　　　[Charleroi
— Au Cabaret-Vert : je demandai des
　　　　　　　　　　　　[tartines
De beurre et du jambon qui fût à moitié
　　　　　　　　　　　　[froid.
Bienheureux, j'allongeai les jambes
　　　　　　　　　　　[sous la table
Verte : je contemplai les sujets très naïfs
　　　　　　　　　　　[De la tapisserie.

A. Rimbaud, « Au Cabaret Vert », *Poésies*

■ Exercice 3

Transformez le texte suivant en un poème cocasse à rimes plates où vous multiplierez les enjambements.

Il avait certainement violé sa sœur et coupé sa mère en morceaux. Jugeant la vie amère et, donc, voulant se donner quelque distraction, il a servi à son père une décoction vénéneuse que n'ont pu supporter son foie et ses reins. Il utilisait là ses connaissances en chimie ! Le résultat : la mort du doux vieillard. Malpoli, journaliste, paillard, il trichait au jeu, faisait des vers, fumait la pipe dans la rue et, le soir, il se gavait de tripes à la mode de Caen. Avec des croque-morts !

Le vers disloqué

■ L'enjambement, modérément utilisé au XVIᵉ siècle, fut condamné par Malherbe au siècle suivant. Les Romantiques le réin-troduisirent. Hugo, au théâtre et en poé-sie, Baudelaire, Rimbaud l'utilisèrent avec bonheur.

■ L'abus des rejets et des contre-rejets a pour effets la dislocation du vers et le ridi-cule. Tout enjambement doit se justifier par le sens.

LANGUE ET STYLE

MÉTAPLASMES

MÉTRIQUE

CHOIX DES MOTS

COMBINAISON DE MOTS

TYPOLOGIE DE TEXTES

L'harmonie poétique

La poésie utilise les mots comme objets sonores. L'agencement des voyelles et des consonnes peut produire des effets d'harmonie suggestive. Ces effets seraient dus au plaisir articulatoire, d'ordre physiologique, aux significations des sons, reçus comme des notes de musique et à la rencontre du sens et de la mélodie.

▇▇▇ Nature de l'harmonie poétique

□ Définition. Au sens étymologique (grec *harmonia* : accord des sons), l'harmonie provient de la rencontre agréable de sons. Dans le domaine de la langue, il s'agit des voyelles, des consonnes, des syllabes, unités phoniques combinant un ou plusieurs de ces phonèmes.

□ Les enjeux. L'impression d'harmonie a-t-elle une origine et une explication nettes ? Trois hypothèses sont généralement avancées.

Effets de l'articulation	Articuler les sons peut procurer des plaisirs quasi sensuels d'ordre phonique, tactile et kinésique (mouvements).
Propriétés des phonèmes	Chaque phonème aurait une ou plusieurs significations codables, indépendantes du sens des mots.
Effets de l'accord son / sens	Inconsciemment, la signification du mot déborderait sur son substrat sonore, le signifiant.

□ La mélodie de l'énoncé. Grâce à des études récentes de phono-stylistique, on sait que les syllabes ont une durée variable. Exemple : durée des syllabes d'un vers de Racine, exprimée en centièmes de seconde.

Accents rythmiques

Le / joûr / n'est / pas / plus / pûr / que / le / fońd / de / mon / cœur /
27   64   18   24   16   60   15   16   50   10   18   51

Ces durées inégales créent une véritable mélodie, d'autant que les plus longues durées doublent les quatre accents rythmiques de cet alexandrin.

▇▇▇ Les différents types d'harmonie

L'harmonie porte sur des groupes de mots ou de phrases.

Harmonie imitative	Le signifiant ressemble au référent (objet, être réel) : l'harmonie se construit du réel à sa copie sensible. Exemples : onomatopées, mots expressifs (dans « flaque », on entend le bruit de l'eau).
Harmonie de sons complémentaires	L'harmonie résulte de la complémentarité mélodique des phonèmes dans un ensemble de mots. Ainsi, le vers de Hugo « La lune était sereine et jouait sur les flots » est harmonieux grâce à la complémentarité des voyelles (deux é, trois è, un eu fermé, voyelles claires, s'allient à deux u aigus et aux deux graves du a et du o) et des consonnes (surtout des continues).
Harmonie par répétitions	Harmonie fondée sur l'utilisation de métaplasmes de répétition : assonances (répétitions de voyelles), allitérations (répétitions de consonnes), paronomases (mots semblables par les sons, différents par le sens).

LA MUSIQUE POÉTIQUE

■ Les effets des phonèmes

Les voyelles

Types	Effets
Aiguës : /i/ = i ;/y/ = u	Acuité des bruits, des cris, des impressions, des sentiments.
Claires /e/ = é ; /Ɛ/ = è; /Ø/ = eu fermé ; /Ɛ̃/ = in	Douceur, légèreté, grâce, rapidité, gaieté.
Éclatantes /a/ = a ;/ɔ/ = O ouvert ; /œ/ = eu ouvert, voyelle est nasale. Sentiments /ə/ = e muet ; /ã/ = an ;/œ̃/ = un	Bruits éclatants, voilés si la voyelle est nasale. Sentiments forts, descriptions lyriques…
Sombres : /u/ = ou ;/o/ = o fermé ; /ɔ/ = on	Bruits sourds, grondements, lourdeur, gravité, tristesse…

Les consonnes momentanées

Types	Effets
Sourdes : /p/ = p ;/t/ = t ; /k/ = c	Comme elles frappent l'air d'un coup sec, elles « explosent ».
Sonores : /b/ = b ; /d/ = d ;/g/ = g	Des bruits et des mouvements saccadés, des sentiments comme la colère, l'ironie sarcastique.

Les consonnes continues

Types	Effets
Nasales :/m/ = m ; /n/ = n	Lenteur, douceur, mollesse. Proches des voyelles nasales.
Liquide : /l/ = l	Glissement, liquidité.
Vibrante : /R/ = r.	Grincement, grondement.

Spirantes :/F/ = f ; /V/ = v ; /s/ = s ;/z/ = z ; /ʃ/ = ch ; /ʒ/ = j ; /j/ = son mouillé de « yeux »	Les labio-dentales /F/ et /V/ expriment un souffle mou. Les spirantes dentales /s/ et /z/ expriment souffles, sifflements, mépris, dépit, ironie. Les chuin-tantes /s/ et z/ évoquent le dépit, le mépris, la colère.

■ Exercice 1

Vers par vers, relevez les phonèmes.

Quand, les deux yeux fermés, en un soir
       [chaud d'automne,
Je respire l'odeur de ton sein chaleureux,
Je vois se dérouler des rivages heureux
Qu'éblouissent les feux d'un soleil
       [monotone ;
Une île paresseuse où la nature donne
Des arbres singuliers et des fruits
       [savoureux ;
Des hommes dont le corps est mince et
       [vigoureux,
Et des femmes dont l'œil par sa franchise
       [étonne […]

Baudelaire, « Parfum exotique »,
Les Fleurs du Mal, 1857

■ Exercice 2

Rédigez dix phrases. Dans chacune d'elles, vous assurerez la prédominance d'un type de phonème pour exprimer les effets qui figurent dans le tableau ci-contre.

Dysharmonies

La cacophonie. Elle se fonde sur des agencements désagréables de pho-nèmes ou sur des allitérations prolongées jusqu'au ridicule.
Exemple : La pipe au papa du Pape Pie pue. (Prévert).
Le hiatus. C'est la rencontre de deux voyelles identiques, jugée malsonnante, d'où son interdiction dans la versification depuis le XVIe siècle.
Exemple : ils sont arrivés *au haut* de la colline.

LANGUE ET STYLE
MÉTAPLASMES
MÉTRIQUE
CHOIX DES MOTS
COMBINAISON DE MOTS
TYPOLOGIE DE TEXTES

Du vers au poème

Les vers se conçoivent mal isolés, ne serait-ce que pour la rime. Ils sont groupés en distiques, tercets et strophes, sous-ensembles de poèmes. Ces derniers, dans le passé, étaient codifiés dans des formes fixes. De nos jours, les poètes créent leurs propres formes, sans rejeter forcément le distique, le tercet ou la strophe.

▰▰▰ Le distique

☐ Définition. Le distique comprend deux vers, généralement de rime plate (aa). :

Quand il arriva la saison
Des trahisons et des prisons ⎞ Rime plate

Quand les fontaines se troublèrent
Les larmes seules furent claires

L. Aragon, *La Diane française*, Seghers, 1945

☐ Effets et usages. Le distique appelle la formule brève, le lyrisme retenu, la mise en valeur des images. Les poètes contemporains l'ont utilisé de deux manières : poèmes faits de distiques ou distiques en discontinu, associés à des strophes.

▰▰▰ Le tercet

☐ Définition. Le tercet comprend trois vers. Il est rarement monorime.

Si je vous dis que le cristal d'un jour de pluie
Sonne toujours dans la paresse de l'amour ⎞ Pas de rimes
Vous me croyez vous allongez le temps d'aimer ⎠

P. Eluard, *Poèmes politiques*, Gallimard, 1948

☐ Effets et usages. Le sonnet se termine toujours par deux tercets. Les poètes contemporains (Eluard, Aragon) ont utilisé le tercet comme une strophe.

▰▰▰ La strophe

☐ Définition et nature. On appelle strophe un ensemble de vers correspondant à un système complet de rimes (type abba ou abab, très rarement type aabb). Elle est caractérisée également par sa cohérence sémantique et rythmique.

☐ Les types de strophes. Selon le nombre de vers, on distingue :
– le quatrain : 4 vers, rimes croisées ou embrassées ;
– le quintil : 5 vers, construit sur 2 rimes dont l'une est répétée 3 fois ;
– le sixain : 6 vers sur 3 rimes ;
– les strophes de 6 à 12 vers : diverses combinaisons de rimes.

Vers de 6 pieds   Octosyllabe   Rimes abaab

Quatrain

Dans Venise la rouge,
Pas un bateau qui bouge,
Pas un pêcheur dans l'eau,
Pas un falot.

A. de Musset, *Venise*   Rimes plates

Monseigneur le duc de Bretagne,
A, pour les combats meurtriers,
Convoqué de Nantes à Mortagne
Dans la plaine et sur la montagne,
L'arrière-ban de ses guerriers.   Quintil

V. Hugo, *La Fiancée du timbalier*

☐ Effets et usages. Selon leur longueur, le mètre ou les mètres choisis, le schéma des rimes, les strophes ont des fonctions et des effets variés. Mais elles constituent toujours des unités rythmiques importantes du discours poétique.

FORMES POÉTIQUES

■ Les poèmes à forme fixe

Ces formes fixes apparaissent au Moyen Âge (lai, virelai, triolet, rondeau, ballade) ou à la Renaissance (sonnet, ode).

Le sonnet. Immense succès de Marot à Baudelaire, de Rimbaud à Guillevic. Le sonnet comprend deux quatrains, tous deux de rime abba, et deux tercets de rime ccd/eed (sonnet marotique) ou ccd/ede.

LA MALINE

Dans la salle à manger brune, que
[parfumait
Une odeur de vernis et de fruits, à mon
[aise
Je ramassais un plat de je ne sais quel
[mets
Belge, et je m'épatais dans mon immense
[chaise.

En mangeant, j'écoutais l'horloge, –
[heureux et coi.
La cuisine s'ouvrit avec une bouffée,
– Et la servante vint, je ne sais pas
[pourquoi,
Fichu moitié défait, malinement coiffée.

Et, tout en promenant son petit doigt
[tremblant
Sur sa joue, un velours de pêche rose et
[blanc,
En faisant, de sa lèvre enfantine, une
[moue,

Elle arrangeait les plats, près de moi,
[pour m'aiser ;
– Puis, comme ça, – bien sûr, pour
[avoir un baiser, –
Tout bas : « Sens donc, j'ai pris une froid
[sur la joue… »
A. Rimbaud, 1870

Le triolet. Apparu au Moyen Âge, il comprend 8 vers sur deux rimes. Les vers 1, 4 et 7 sont les mêmes.

TRIOLET FANTAISISTE

Sidonie a plus d'un amant,
C'est une chose bien connue
Qu'elle avoue, elle, fièrement.
Sidonie a plus d'un amant
Parce que, pour elle, être nue
Est son plus charmant vêtement.
C'est une chose bien connue,
Sidonie a plus d'un amant.   Ch. Cros

■ Exercice 1

1. Dans ce poème, montrez que le distique est une unité sémantique (= signification) et rythmique.
2. Qu'est-ce qui crée l'unité du tercet ?
3. Montrez que la strophe s'organise autour d'un thème.

Tu vois le feu du soir qui sort de sa coquille
Et tu vois la forêt enfouie dans la fraîcheur

Tu vois la plaine nue aux flancs du ciel
[traînard
La neige haute comme la mer
Et la mer haute dans l'azur

Pierres parfaites et bois doux secours voilés
Tu vois des villes teintes de mélancolie
Dorée des trottoirs pleins d'excuses
Une place où la solitude a sa statue
Souriante et l'amour une seule maison.
P. Eluard, *Chanson complète*, Gallimard, 1939

■ Exercice 2

Complétez ces deux tercets. Les vers sont des alexandrins sauf le cinquième.

Voici que montent les aubes, d'une
[blancheur
………, au-dessus d'un fouillis ………
Lumineuses, ……… fraîcheur…
Pour entrer ……… d'avril,
Vos yeux ont pris ……… de lune,
Et leur lumière ……… les cils.

Les genres poétiques

La poésie épique, caractéristique de l'Antiquité et des chansons de gestes du Moyen Âge, est narrative et descriptive.

La poésie dramatique constitue la langue du théâtre en vers (Corneille, Racine, Molière, Hugo).

La poésie lyrique dit les émotions, les sentiments, les passions et les espoirs. Elle est donc éternelle !

LANGUE ET STYLE

MÉTAPLASMES

MÉTRIQUE

CHOIX DES MOTS

COMBINAISON DE MOTS

TYPOLOGIE DE TEXTES

L'expression poétique libre

Longtemps asservie aux règles de la versification classique et aux lois des genres, la poésie commence à s'en libérer au XIXᵉ siècle avec le romantisme et le symbolisme. Du vers libéré au verset et au poème en prose, la poésie s'est métamorphosée. Tout en se donnant de nouvelles règles !

■■■■■ Les vers libres

☐ Définition. Ce sont des vers de longueur inégale (hétérométrie) qui riment et restent réguliers.

Pour un âne enlevé deux voleurs se battaient
L'un voulait le garder, l'autre le voulait vendre.
Tandis que coups de poing trottaient,
Et que nos champions songeaient à se défendre,
Arrive un troisième larron,
Qui saisit maître Aliboron.   La Fontaine, *Les Voleurs et l'âne*

☐ Effets et utilisation : spatialisation du texte, variété rythmique.

☐ Situations d'emploi : fables, poésie lyrique légère, poèmes humoristiques.

■■■■■ Les vers libérés

☐ Définition. Les vers libérés, comme les vers libres, sont de longueur inégale, de mètre pair ou impair. La rime disparaît ou devient occasionnelle.

Qu'il fait beau
Sur ces plateaux de déserts et de charmilles   P.-J. Jouve, *Matière Céleste*,
Dans la désolation blessée des antres verts !   Mercure de France, 1964

☐ Fonctionnement. Pour éviter le risque de prosaïsme, le poète développe les compensations : parallélismes syntaxiques, répétitions, recherches rythmiques, richesse du vocabulaire et des images.

☐ Effets : liberté et variété, image du désordre sentimental ou passionnel.

☐ Situations d'emploi. Beaucoup de contemporains utilisent les vers libérés : Apollinaire, Aragon, Eluard, Reverdy… Souvent ils voisinent avec des vers réguliers.

■■■■■ Du vers libéré au verset

Lorsqu'un vers libéré occupe deux ou trois lignes, il est devenu un verset. Le terme se réfère à la Bible ou au Coran, où il correspond à un alinéa d'un texte sacré.

Passé la ville dont les regards vitreux épiaient la brume, nous n'eûmes pour soleil que le grand nid défait qui pend aux branches./
Le froid t'enveloppait de son manteau quand tu enjambas les frontières dérisoires sans t'inquiéter des assauts à venir./J. Grosjean, *Élégies*, Gallimard, 1962

☐ Effets du verset : ampleur, vagues rythmiques, valeur souvent incantatoire.

☐ Situations d'emploi. Hormis les textes religieux, le verset a été utilisé avec bonheur par P. Claudel, Saint-John Perse et J. Grosjean. Il convient en effet à une expression à la fois lyrique et dramatique.

LIBERTÉS MODERNES

■ Nouvelles formes poétiques

Le poème en vers libérés. Groupés en distiques, en tercets ou en strophes, les vers libérés sont les éléments de nombreux poèmes contemporains. Exemple : Dans *l'Effraie*, mètres pairs (6, 8) et impairs (5, 9) coexistent. Le rythme ascendant, l'anaphore, le fantastique démarquent le texte de la prose.

On dit que l'effraie
boit l'huile aux lampes du sanctuaire
dans les églises de village,
elle entre par le vitrail brisé
dans ces heures de nuit
quand les bons et les violents s'endorment
quand l'orgueil et l'amour s'épuisent
quand le feuillage rêve.
La bête réchauffe son sang
avec l'huile éclairante et vierge.

J. Follain, L'Effraie, Buchet-Chastel, 1945

Le poème en prose. Une suite d'images hallucinées, des groupes de mots rythmés, la brièveté de la vision démarquent ce poème de la prose ordinaire.

À droite l'aube d'été éveille les feuilles et les vapeurs et les bruits de ce coin de parc, et les talus de gauche tiennent dans leur ombre violette les mille rapides ornières de la route humide. Défilé de féeries. En effet : des chars chargés d'animaux de bois doré, de mâts et de toiles bariolées, au grand galop de vingt chevaux de cirque tachetés, et les enfants et les hommes sur leurs bêtes les plus étonnantes, – vingt véhicules, bossés, pavoisés et fleuris comme des carrosses anciens ou de contes, pleins d'enfants attifés pour une pastorale suburbaine. [...]

A. Rimbaud, Illuminations, 1871

■ Exercice 1

1. À quoi reconnaît-on des vers libérés ?
2. Établissez le schéma rythmique vers par vers (page 47).
3. Comment les idées exprimées justifient-elles le recours aux vers libérés ?

FOURMI

Parle-t-on
D'un cadavre de fourmi ?
Cadavre à peine
Sur l'herbe verte.

Le monde
A été fait pour l'homme – on le sait bien.
Étouffons
Les erreurs de la providence.

Affreuses choses qui grouillez
Hors de la sympathie des hommes,
Il faut en référer au ciel.

Ah ! plus grandes un millier de fois
Et portant le fusil,
Vous seriez dignes de l'estime
Au lieu de l'eau bouillante.

E. Guillevic, Requiem, Seghers, 1988

■ Exercice 2

Transformez ce texte en prose en poème en vers libérés. Enrichissez-le par des écarts de style.

La ville paraît à peine habitée. Il y a bien des rues et des maisons mais si un homme a soif, personne ne lui donne à boire et si l'on a faim, les portes restent fermées. Les villes ont été créées en des lieux sans chansons ni pain pour les égarés, sans regards féminins pour les hommes.

La liberté est-elle dangereuse ?

■ Les esprits conservateurs et les adeptes des poèmes à forme fixe déplorent souvent l'emploi du vers libéré et du poème en prose. Ils craignent qu'ils soient synonymes de facilité et d'à-peu-près.

■ En réalité, le poème en vers libérés et le poème en prose sont devenus de véritables genres, adoptés par Baudelaire, Rimbaud, Grosjean. Et le succès de Prévert ne s'est jamais démenti.

■ Le véritable danger vient de l'hermétisme de certains textes jaillis certes de l'inconscient du poète ou de ses extases métaphysiques mais sans significations ou images reconnaissables.

LANGUE ET STYLE

MÉTAPLASMES

MÉTRIQUE

CHOIX DES MOTS

COMBINAISON DE MOTS

TYPOLOGIE DE TEXTES

Rythmes de la prose

Le français n'est pas une langue accentuée comme l'anglais ou l'espagnol et les syllabes semblent de même longueur. Pourtant le rythme est bien présent dans la prose française, à travers la syntaxe, le sens ou les sons. La littérature l'utilise pour des raisons esthétiques, la presse par souci de faciliter la lecture.

▬▬ Rythme et structure syntaxique

□ Dans la phrase simple, du type groupe sujet + groupe verbal + groupes compléments, chaque groupe peut être assimilé à une mesure (décompte en syllabes). Un rythme naît des rapports de longueur entre ces mesures.

□ Dans la phrase complexe, assemblage de propositions (= des phrases simples), le rythme naît surtout des rapports de longueur entre ces propositions. Ce qui n'exclut pas leurs rythmes internes.

□ Les types de rythmes

Rythme binaire	Les groupes de mots ou les propositions, au nombre de deux (ou 4, 6...), sont de longueur similaire. Effets : clarté, symétrisation. Exemple : / Près de sa belle maison / demeurait un voisin irascible /
Rythme ternaire	Les groupes de mots ou les propositions, au nombre de trois (ou 6, 9...) sont de longueur similaire. Effets : clarté, juxtaposition, parallélisme. Exemple : / Près de sa maison, / qui était si belle, / demeurait ce voisin irascible. /
Rythme ascendant	Succession de groupes de mots ou de propositions de plus en plus longs. Effets : attente, suspense, gradation, abondance, accélération. Exemple : / Près de sa maison, / qui était vraiment belle, / avec sa façade équilibrée / et ses peintures joyeuses dans des tons pastels, / demeurait ce ridicule et irascible voisin. /
Rythme descendant	Succession de groupes de mots ou de propositions de plus en plus courts. Effets : gradation descendante, abondance, ralentissement. Exemple : / Près de la si belle maison de Philippe, / à la façade bien équilibrée / et aux volets rutilants / demeurait ce voisin, / un irascible... /

▬▬ Rythme et écarts syntagmatiques

Le rythme peut être dû à la présence d'écarts syntagmatiques (écarts dans la combinaison des mots, des groupes, des propositions).

□ Les écarts d'insistance. Les répétitions, les anaphores (répétitions en début de phrases), les accumulations, les énumérations, les gradations (accumulations selon une progression) constituent des ensembles de mesures.

□ Les écarts de symétrisation. Les mises en parallèle ou les antithèses sont de rythme binaire.

▬▬ Rythme et sons

□ Les répétitions de sons contribuent aux effets de rythme. Ce sont les assonances (répétitions de voyelles), les allitérations (répétitions de consonnes), les paronomases (mots se ressemblant par les sons).

□ L'harmonie, fondée sur la répartition équilibrée des sons, participe au rythme et au mouvement du texte dont elle est la mélodie.

PÉRIODE ASCENDANTE OU DESCENDANTE

■ La période

La période est une phrase complexe très longue, de type oratoire ou lyrique, où la construction syntaxique, étroitement liée aux contenus exprimés, crée des effets de rythme.

La période ascendante. La succession des groupes de mots et des propositions aboutit à l'information principale, donnée en fin de phrase.
Exemple : la phrase de Rousseau conjugue l'attente et l'information finale, le rythme ascendant des séries de propositions, leur ordonnance ternaire, les temps forts des terminaisons de verbes :

Alors, l'esprit perdu dans cette immensité, je ne pensais pas, je ne raisonnais pas, je ne philosophais pas : je me sentais, avec une sorte de volupté, accablé du poids de cet univers, je me livrais avec ravissement à la confusion de ces grandes idées, j'aimais à me perdre en imagination dans l'espace ; mon cœur, resserré dans les bornes des êtres, s'y trouvait trop à l'étroit, j'étouffais dans l'univers, j'aurais voulu m'élancer dans l'infini.

J.-J. Rousseau, Lettre à Malesherbes

La période descendante. Sa vectorisation est inverse.
Exemple : dans la phrase de J. Gracq, l'information principale, sous forme de question, est au début. Les autres propositions apportent des précisions. Le rythme est complexe : groupements ternaires des six premières propositions, rythme plutôt ascendant des dernières.

D'où vient pourtant que cet exil se fixe, s'attarde et s'englue presque à la rainure creuse, qui n'est jamais ni riante, ni triste, que les saisons même ne changent guère, et qui reste inséparable pour moi d'un ciel d'après-midi chargé de nuages, dont les ombres promenées, indéfiniment, regrimpent les pentes pour être mangées d'un coup par la ligne pesante de l'horizon ?

J. Gracq, Les Eaux étroites, J. Corti, 1976

La période pyramidale. L'information principale est au milieu, entre la protase (partie montante) et l'apodose (partie descendante). Effets : équilibre, harmonie, rigueur.

■ Exercice 1

1. Établissez le schéma rythmique des phrases du texte d'après le décompte des syllabes.
2. Quels sont les effets obtenus par l'emploi de ces rythmes ?
3. La dernière phrase est-elle une période ? Pourquoi ?

Passer la nuit dans cet obscur wagon n'avait rien d'enchanteur ; et puis je n'avais pas dîné. La gare était loin du village et l'auberge m'attirait moins que l'aventure ; au surplus je n'avais sur moi que quelques sous. Je partis sur la route, au hasard, et me décidai à frapper à la porte d'un mas assez grand, d'aspect propre et accueillant. Une femme m'ouvrit, à qui je racontai que je m'étais perdu, que d'être sans argent ne m'empêchait pas d'avoir faim et que peut-être on serait assez bon pour me donner à manger et à boire ; après quoi je regagnerais mon wagon remisé, où je patienterais jusqu'au lendemain.

A. Gide, Si le grain ne meurt,
Gallimard, 1926

■ Exercice 2

Rédigez quelques phrases de rythme binaire et ternaire à partir des informations ci-dessous, données en désordre, que vous enrichirez.

Lieu : ville de province, rues vides.
Moment : l'aube.
Un chien, les oreilles en arrière, lève sa tête vers le soleil et hurle à la mort. Un commis du magasin des pompes funèbres, dont la vie est monotone, paraît sur le pas de la porte. Il est joyeux, les poings sur les hanches.

LANGUE ET STYLE
MÉTAPLASMES
MÉTRIQUE
CHOIX DES MOTS
COMBINAISON DE MOTS
TYPOLOGIE DE TEXTES

Vocabulaire et style

Choisir ses mots de façon pertinente, originale, parfois même inattendue est une preuve de style. Encore faut-il connaître les énormes potentialités du lexique, les techniques de la substitution lexicale, la notion de registre de langue, et s'adapter à la situation de communication.

■■■■ Choisir le mot juste

☐ Qu'est-ce qu'un mot juste ? C'est le mot exact, indispensable, le plus proche de la réalité exprimée. Effets du mot juste : la précision, l'accord réalité/langue.
☐ Situations d'emploi. La notion de mot juste est relative : elle dépend de la situation de communication et, donc, du registre de langue à adopter. Au registre familier, « cochon » convient. Au registre soutenu, il faut préférer « porc » !

■■■■ Choisir le lexique concret

☐ Nature, effets. Les mots concrets se réfèrent à des êtres, des objets que les sens peuvent percevoir. Proches du réel, ils en semblent la réplication. Exemple : le célèbre Tartarin porte « deux lourds fusils, un sur chaque épaule, un grand couteau de chasse à la ceinture, sur le ventre une cartouchière, sur la hanche un revolver se balançant dans sa poche de cuir » (A. Daudet, *Tartarin de Tarascon*).
☐ Situations d'emploi : textes de vulgarisation scientifique, descriptions et récits réalistes, confessions, lettres, articles de presse.

■■■■ Choisir le lexique abstrait

☐ Nature, effets. Les mots abstraits se réfèrent à des propriétés, des caractères généraux des êtres ou des objets. Comme l'abstraction est une opération mentale, elle semble nous éloigner de la réalité. Exemple : « la grandeur de l'homme est grande en ce qu'il se connaît misérable » (Pascal). Les mots employés généralisent plusieurs situations très concrètes de grandeur ou de misère humaine.
☐ Situations d'emploi : énoncés philosophiques, maximes, essais, poésie.

■■■■ Choisir des mots connotatifs

☐ Définition. Un mot connotatif, outre son sens dénoté (= sens objectif), porte des connotations, c'est-à-dire des sens seconds, symboliques, venus du contexte culturel ou du texte. Exemple : « miniature » connote le Moyen Âge, les moines, l'art.
☐ Situations d'emploi : littérature, poésie, presse, publicité.

■■■■ Choisir la variété lexicale

☐ Du particulier au général. Dans le même énoncé, un mot précis mais particulier comme « houx » peut être remplacé par des mots comme *buisson, plante, arbuste*.
☐ La synonymie. Les synonymes ont à peu près le même sens. Ils sont donc souvent permutables. Exemple : coalition, ligne, front. La synonymie peut jouer des registres de langue : indicateur, espion, mouchard.
☐ La périphrase. Au lieu d'un mot, on en emploie plusieurs qui le caractérisent. Exemple : « celui de qui la tête au ciel était voisine » remplace le chêne.

LES MOTS QUI FONT LE STYLE

■ Choix des mots et registres de langue

Selon la situation de communication, le français pratiqué peut varier, d'où la notion de registre de langue.

Mots du registre courant (ou médian). Réservés à la communication directe, pratique et rapide, ils peuvent subsister en littérature.

Mots des registres familier ou soutenu. Ces mots, qui « font cultivé ou familier », peuvent être perçus comme des écarts porteurs de connotations. Ils conviennent donc à la littérature. Exemples : « Ça n'a pas de cœur, ce merlan-là », dit Gavroche tandis que le baron s'exclame : « Cet homme méprisable est impitoyable ! »

■ Choisir les écarts

Un auteur, au lieu d'employer le mot propre, peut user d'écarts de substitution. Par exemple, Le Clézio, pour évoquer nos contemporains confinés dans leurs immeubles de banlieue écrit : « Ils sont prisonniers du plâtre et de la pierre, le ciment a envahi leur chair, a obstrué leurs artères ». C'est plus expressif que la phrase banale suivante, obtenue par réduction des synecdoques (plâtre, pierre) et de la métaphore du ciment : « Ils sont prisonniers des murs de plâtre et de pierre et le ciment a des effets néfastes sur leur corps et leur vie. »

■ Exercice 1

1. Relevez les noms les plus concrets. Comment leur emploi se justifie-t-il ?
2. Relevez les mots les plus connotatifs et montrez que leurs connotations sont essentielles à la saisie du texte.

Avec la vivacité et la grâce qui lui étaient naturelles quand elle était loin des regards des hommes, madame de Rênal sortait par la porte-fenêtre du salon qui donnait sur le jardin, quand elle aperçut près de la porte d'entrée la figure d'un jeune paysan presque encore enfant, extrêmement pâle et qui venait de pleurer. Il était en chemise bien blanche, et avait sous le bras une veste fort propre de ratine violette.

Stendhal, *Le Rouge et le Noir*, 1830

■ Exercice 2

Essayez de retrouver le style de ce texte en substituant aux mots encadrés des mots qui vous semblent mieux adaptés.

Le fleuriste a un jardin dans un faubourg ; il y va dès le matin, et il en revient le soir. Vous le voyez planté et arrêté au milieu de ses tulipes et devant la Solitaire : il ouvre les yeux, il frotte ses mains, il se penche, il la voit de plus près, il ne l'a jamais vue si belle, il a le cœur très satisfait ; il va voir l'Orientale ; ensuite, il va voir la Veuve ; puis le Drap d'or ; ensuite l'Agathe, d'où il revient enfin à la Solitaire, devant laquelle il s'arrête, où il se lasse, où il s'assied, où il oublie de dîner : c'est qu'elle est nuancée, bordée, luisante comme de l'huile, à sépales découpés.

LANGUE ET STYLE

MÉTAPLASMES

MÉTRIQUE

CHOIX DES MOTS

COMBINAISON DE MOTS

TYPOLOGIE DE TEXTES

Caractérisation et style

Caractériser, c'est livrer les caractères d'un référent (être ou chose). Par nature, les adjectifs, les adverbes et certains verbes jouent ce rôle, d'où l'importance de leur choix. Des écarts dans l'emploi de ces mots élargissent la gamme des procédés de caractérisation.

La caractérisation par l'adjectif

□ L'expansion. L'utilisation d'épithètes ou d'attributs est un cas d'expansion : on les ajoute à des substantifs, on en emploie plusieurs. Exemple : Nous restions immobiles, livides, dans l'attente d'un événement affreux, l'oreille tendue, le cœur battant, bouleversés au moindre bruit (G. de Maupassant).
□ L'adjectif comme adverbe. Cet emploi constitue un écart qui peut entraîner la surprise, la concrétisation, le pittoresque. Exemples : Il boit sec — Vas-y mou !
□ L'épithète en hypallage. L'épithète qualifie un substantif auquel elle ne convient pas : c'est un écart paradigmatique (= dans le choix des mots). Effets : expression plus vive et souvent plus courte. La presse et la publicité utilisent couramment le procédé. Exemples : Voici un sac malin (publicité), la politique sportive.

La caractérisation par l'adverbe

La nature de l'adverbe est de caractériser le verbe ou l'adjectif, d'en préciser le sens. Outre les adverbes usuels, d'innombrables adverbes formés sur l'adjectif (méchant ——➤ méchamment) assurent la variété du style. On peut même caractériser un adverbe par un autre adverbe. Exemple : il est très sérieusement question de... Les adverbes de manière font exception (on ne dit pas *anxieusement fiévreusement*).

La caractérisation par le verbe

□ Les verbes de caractérisation. Des verbes comme engloutir, cavaler, cochonner ont des valeurs superlatives ou dépréciatives : ils caractérisent sans le secours d'adverbes ou d'adjectifs. Les verbes de dérivation peuvent jouer le même rôle : chantonner, toussoter.
□ Participe et adjectif. Le participe est souvent employé comme adjectif dans la caractérisation. Exemples : Son attitude était agaçante... La campagne gelée...

La caractérisation par le substantif

Le substantif a pour rôle essentiel de déterminer les êtres et les choses, c'est-à-dire de les situer dans le réel. Exemple : la villa au bord de la mer. Mais de nombreux emplois stylistiques lui confèrent un rôle ou une valeur de caractérisant.

La caractérisation par la subordination

Les propositions circonstancielles (de comparaison, de conséquence...) peuvent servir à caractériser un personnage, un animal, un objet.
Exemple : Il est tellement bête qu'il prend les mouches pour des abeilles.

(subordonnée de conséquence)

EMPLOIS STYLISTIQUES

■ Le nom peut caractériser

Le nom comme attribut. Dans cette fonction, le nom permet souvent la détermination (Georges est médecin). Toutefois, s'il est porteur d'un écart de style (métaphore, synecdoque, etc.), il devient un caractérisant.
Exemples : C'est une tête ! (synecdoque), c'est un renard (métaphore).

L'introduction d'une relation. Presque toujours, le nom porte un écart de style.
Exemples : Il utilise un vocabulaire de dévoyé (comparaison implicite). Avec sa gueule de flambeur (métaphore). Par contre, dans l'expression « un sportif de haut niveau », on ne peut parler d'écart.

Le substantif adjectivé. Le tour substantif étonne, d'où son emploi étendu dans la presse ou la publicité.
Exemples : la pause casse-croûte, des prix 100 % Leclerc, une tenue sport. Très souvent, cette mutation du nom en adjectif se fait par simple ellipse : une « pause casse-croûte », c'est une pause pour le casse-croûte, un « costume trois pièces » est un costume qui a trois éléments.

L'antonomase. Le nom propre est employé à la place d'un nom commun ou inversement. C'est une variété de métaphore. Exemple : le siècle de Louis XIV (= le dix-septième).

■ A + B = A ou A + B = zéro

Ce n'est pas en mathématiques. C'est en poésie. A est un substantif et B un adjectif.

Parfois A + B = A parce que B, redondant, n'apporte aucune information nouvelle.
Exemple : le fade goût des grands mammouths gelés (G. Apollinaire). Au sens premier, « grands » répète mammouth.

Parfois A + B = zéro, du moins au plan de la stricte dénotation (sens objectif).

Dans l'herbe noire,
Les Kobolds vont   P. Verlaine

« Noire » semble absurde. Sauf si l'on postule les connotations de la nuit.

■ Exercice

1. Repérez les procédés de caractérisation.
2. Quels sont leurs effets ?
3. Montrez qu'ils contribuent au style du texte.

Tous les yeux s'étaient levés vers le haut de l'église. Ce qu'ils voyaient était extraordinaire. Sur le sommet de la galerie la plus élevée, plus haut que la rosace centrale, il y avait une grande flamme qui montait entre les deux clochers avec des tourbillons d'étincelles, une grande flamme désordonnée et furieuse dont le vent emportait par moments un lambeau dans la fumée. Au-dessous de cette flamme, au-dessous de la sombre balustrade à trèfles de braise, deux gouttières en gueules de monstres vomissaient sans relâche cette pluie ardente qui détachait son ruissellement argenté sur les ténèbres de la façade inférieure.   V. Hugo, *Notre-Dame de Paris,* 1831

Détermination et caractérisation

La différence entre la détermination et la caractérisation est mince : la détermination situe un être, une chose dans la réalité et la caractérisation attire l'attention sur leurs caractéristiques. La détermination serait objective, la caractérisation plus subjective : c'est souvent affaire d'intention de l'auteur et de connotations !

LANGUE ET STYLE

MÉTAPLASMES

MÉTRIQUE

CHOIX DES MOTS

COMBINAISON DE MOTS

TYPOLOGIE DE TEXTES

La synecdoque

> La synecdoque est un écart paradigmatique (= écart de substitution) par lequel on remplace un mot normalement attendu (A) par un autre (B) selon un rapport d'inclusion. La synecdoque correspond à une perception du monde qui procède du particulier au général ou du général au particulier.

▄▄▄ La synecdoque particularisante

□ Définition. Dans la synecdoque particularisante, un élément B se substitue à l'ensemble A auquel il appartient.

Exemple : ⎯Le buste⎯ survit à la cité.   Th. Gautier

      ↑
      ⎯ Le buste, élément (B),
        ⎯ remplace l'ensemble sculpture (A).

□ Fonctionnement. A et B appartiennent à la même isotopie, c'est-à-dire au même secteur du réel. On peut figurer le fonctionnement par une figure mathématique où chaque croix représente un sème, c'est-à-dire un élément de signification du mot. Ainsi, tous les sèmes de <u>buste</u> (représentation sculptée, corps humain, partie supérieure) sont inclus dans <u>sculpture</u>.

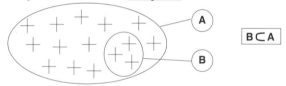

$$B \subset A$$

□ Effets : impression de gros plan, valorisation d'un élément par travelling avant.

▄▄▄ La synecdoque généralisante

□ Définition. Dans la synecdoque généralisante, un ensemble B se substitue à l'élément A qui lui appartient.

Exemple : Il porte ⎯un feutre⎯ ◄⎯ Cet ensemble (B) remplace l'élément chapeau (A)

□ Fonctionnement. A et B appartiennent à la même isotopie. Voici la figure mathématique correspondante : les sèmes de <u>chapeau</u> sont inclus dans l'ensemble <u>feutre</u>.

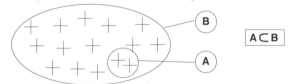

$$A \subset B$$

□ Effets : travelling arrière, recul, éloignement, généralisation.

▄▄▄ Situations d'emploi de la synecdoque

□ Langue populaire. La langue populaire et l'argot utilisent couramment des synecdoques : le zinc (= comptoir), le jus (= café), une sèche (= une cigarette).
□ Littérature : descriptions réalistes, portraits, récits en prose ou en poésie.

DOMAINES DE LA SYNECDOQUE

▨ Les quatre types de synecdoques

Les rapports partie/tout

Synecdoque particularisante : *Les amateurs de l'ovale* (A = rugby)
Synecdoque généralisante : *Strasbourg* (A = une équipe sportive) *a gagné*

Les rapports matière/objet ou être

Synecdoque particularisante : *Les habits rouges* (A = les soldats anglais) *arrivent*
Synecdoque généralisante : *La terre fume sous le fer* (A = le soc)

Les rapports genre/espèce

Synecdoque particularisante : *Ils leur ont refusé le pain* (A = la nourriture)
Synecdoque généralisante : *Le bipède* (A = le coureur) *a fait des merveilles*

Les rapports singulier/pluriel

Synecdoque particularisante : *Il a la lèvre* (A = les lèvres) *en feu*
Synecdoque généralisante : *Je lui ai vendu mes terres* (= un are)

▨ La vision synecdochique

Pour dépeindre la « vision rouge de la révolution », Zola marque les rapports synecdochiques entre la foule des grévistes (= un ensemble) et ses composants, dont la hache est la saisissante synecdoque :

Et les hommes déboulèrent ensuite, deux mille furieux, des galibots, des haveurs, des raccommodeurs, une masse compacte qui roulait d'un seul bloc […]
Les yeux brûlaient, on voyait seulement les trous des bouches noires, chantant la *Marseillaise,* dont les strophes se perdaient en un mugissement confus, accompagné par le claquement des sabots sur la terre dure.
Au-dessus des têtes, parmi le hérissement des barres de fer, une hache passa, portée toute droite ; et cette hache unique, qui était comme l'étendard de la bande, avait, dans le ciel clair, le profil aigu d'un couperet de guillotine.

É. Zola, Germinal, 1885

▨ Exercice 1

1. Dans les énoncés suivants, repérez les synecdoques.
2. Analysez leur fonctionnement (particularisantes, généralisantes) et indiquez leurs effets.

– La liane et la ronce entravaient chaque pas (Lamartine)
– Le mur est gris, la tuile est rousse,
L'hiver a rongé le ciment (Lamartine)
– Avec le prêt-à-porter industriel, les gueux ont pu abandonner la bure, le gros drap et la toile de jute.
– Une aubergine m'a collé un procès-verbal !

▨ Exercice 2

Remplacez les mots en italique par des synecdoques.

Paul, qui *écoutait de ses deux oreilles,* les a entendus venir. Il le savait : ils venaient porter chez nous *la destruction et l'incendie.* Comment opposer à *la guerre* un *message de paix* ? Paul a réveillé ses amis. Il est sorti le premier, suivi par *l'originaire de Normandie* et *l'originaire d'Alsace.* Mieux valait risquer *sa vie* !

Synecdoque et … amour

Liées aux tabous sur le sexe et l'amour, les synecdoques évoquent des parties du corps dont les connotations sont jugées indécentes. Ainsi, dans *Andromaque*, tragédie racinienne, le roi Pyrrhus, très amoureux d'Andromaque, lui demande « un regard moins sévère », se plaint de ses « cruautés », évoque l'empire de ses « yeux », lui offre son « bras » et son « cœur ». Bienséances obligent !

LANGUE ET STYLE

MÉTAPLASMES

MÉTRIQUE

CHOIX DES MOTS

COMBINAISON DE MOTS

TYPOLOGIE DE TEXTES

La métonymie

> La métonymie, écart de style fondé sur la substitution, permet de marquer les liens de contiguïté et de causalité entre les éléments du réel. Très présente dans la langue quotidienne et dans la presse, elle caractérise certains courants littéraires.

■■■■■ Définition de la métonymie

La métonymie est un écart paradigmatique par lequel on remplace un signe linguistique normalement attendu (A) par un autre (B), selon un rapport de contiguïté ou de cause à effet entre A et B.
Exemple : « Tomber sur un os » (B) signifie « rencontrer un problème » (A). Le rapport est de cause (A) à effet (B).

■■■■■ Fonctionnement de la métonymie

☐ La même isotopie. Dans toute métonymie, A et B appartiennent à la même isotopie, c'est-à-dire au même secteur du réel. Ainsi les prix « toniques » (effet) et le « niveau très bas » qu'ils expriment appartiennent à l'isotopie du commerce (lieux, vente et achat…).
☐ Mathématique de la métonymie. On peut figurer le fonctionnement métonymique par une figure mathématique où chaque croix représente un sème, c'est-à-dire un élément de signification du mot (exemple : verre = solide, transparent, etc.).

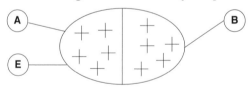

Dans l'ensemble E, A et B sont complémentaires.
Exemple : Dans la métonymie « boire un verre », le verre (B, contenant) et le liquide contenu dans ce verre (A) sont en rapport de contiguïté et forment un ensemble.

■■■■■ Effets de la métonymie

☐ Comprendre l'univers. Quand elle est fondée sur les rapports de contiguïté, la métonymie incite à explorer le réel, à comprendre les rapports entre ses éléments.
☐ Révéler la causalité. Le rapport cause/effet, plus abstrait, incite à réfléchir sur l'avant et l'après ou les séries causales.

■■■■■ Situations d'emploi de la métonymie

☐ Langue populaire. Beaucoup de métonymies sont devenues des catachrèses, c'est-à-dire des écarts de style intégrés. Exemples : l'entreprise vient de déposer son bilan, la droite révèle son programme… Beaucoup d'autres, au registre familier ou argotique, font sourire : numérotez vos abattis, il a mangé le morceau.
☐ Littérature et presse : récits et descriptions réalistes, où dominent les relations de contiguïté et de cause à effet, titres, articles sportifs, reportages.

DOMAINES DE LA MÉTONYMIE

■ Les types de métonymies

Rapports entre A et B	Exemples
Objet / utilisateur	C'est la grève des bus (= de leurs chauffeurs)
Contenant / contenu	On va boire un pot (= le liquide qu'il contient)
Lieu / production	Aimez-vous ce maroilles ? (= fromage produit à Maroilles)
Auteur / œuvre	Voici un Picasso (= une œuvre de Picasso)
Cause pour l'effet	Il faut abandonner vos charentaises (= vous remuer !)
Effet pour la cause	Il a du plomb dans l'aile (= il a été affecté)
Physique et psychique	Jules avait le gosier en pente (= c'était un alcoolique)

■ Publicité et métonymie

La publicité use largement de la métonymie pour démontrer les effets merveilleux de la consommation du produit. Le montage s'élabore souvent du texte (A, la cause) à l'image (B, l'effet).

■ Exercice 1

1. Dans les énoncés suivants, repérez les métonymies.
2. Analysez leur fonctionnement et indiquez leurs effets.

– La haute couture s'apprête à défiler.
– Il est tombé dans les pommes.
– La table ronde a échoué : la grève des trains continue.
– De colline en colline en vain portant ma [vue,
Du sud à l'aquilon, de l'aurore au [couchant...

Lamartine

■ Exercice 2

Ce début de poème de R. Desnos accumule les expressions métonymiques tirées de la langue populaire. Essayez de le continuer en trouvant d'autres métonymies (14 vers).

C'ÉTAIT UN BON COPAIN

Il avait le cœur sur la main
Et la cervelle dans la lune
    C'était un bon copain
Il avait l'estomac dans les talons
Et les yeux dans nos yeux
    C'était un triste copain
Il avait la tête à l'envers.

R. Desnos, *Corps et Biens*, Gallimard, 1953

La vision métonymique

Une vision métonymique du réel conduit à marquer les rapports cause à effet entre le milieu social et les personnages. Les romanciers réalistes (Stendhal, Balzac) ou naturalistes (Zola, Maupassant) ont développé ce type d'approche.

LANGUE ET STYLE

MÉTAPLASMES

MÉTRIQUE

CHOIX DES MOTS

COMBINAISON DE MOTS

TYPOLOGIE DE TEXTES

La métaphore

> **La métaphore est l'écart paradigmatique (écart de substitution) le plus répandu. Fondée sur l'analogie et la ressemblance, elle nous fait passer d'un secteur du réel à un autre, libère l'imagination et rajeunit le monde.**

▄▄▄ Définition de la métaphore

On appelle métaphore le remplacement d'un mot ou d'une expression normalement attendus (A) par un autre mot ou une autre expression (B), selon un rapport d'analogie entre A (le comparé) et B (le comparant).

Exemple : L'offensive (B) du froid
⤷ A, le comparé = arrivée brutale

▄▄▄ Le fonctionnement de la métaphore

□ La substitution isotopique. Dans la métaphorisation, le comparé A et le comparant B appartiennent à des isotopies (= secteurs du réel) différentes. Dans l'exemple ci-dessus, l'isotopie de l'hiver laisse la place à celle, humaine, de la guerre.

□ Mathématique de la métaphore. On peut figurer le fonctionnement métaphorique par la figure mathématique de l'intersection d'ensembles. Chaque croix représente un sème, c'est-à-dire un élément de signification d'un mot. Par exemple, les sèmes du mot « asperge » sont : plante + comestible + liliacée + longue tige + verticalité + faible section de la tige…

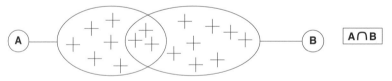

Comme la figure le montre, pour que la métaphore soit possible, A et B doivent avoir quelques sèmes en commun. Exemple : C'est vraiment une asperge ! L'asperge (B) et son comparé (A), ont en commun les sèmes de verticalité, de longueur, de maigreur.

▄▄▄ Effets de la métaphore

□ La topicalisation. La métaphore associe un thème (ce dont on parle, dans ce cas le comparé) à un propos ou phore (ce que l'on dit du thème).

□ La désautomatisation du réel. Le brusque changement d'isotopie rompt la vision habituelle et rassurante du monde et l'imagination reprend donc ses droits. De multiples connotations naissent.

▄▄▄ Situations d'emploi de la métaphore

□ Langue populaire. La langue familière et l'argot sont de remarquables fournisseurs de métaphores, souvent utilisées dans la presse et la publicité.

□ Littérature. La métaphore appartient à l'essence même de la littérature, du portrait au récit merveilleux, de la description à l'imagerie poétique.

MÉCANISMES MÉTAPHORIQUES

■ Métaphore directe et métaphore annoncée

La métaphore directe (ou *in absentia*). Seul le comparant (B) est exprimé. Exemple : le médecin des statues. Les sèmes communs à médecin et à réparateur (= le comparé A) sont nombreux (homme + conservation + rétablissement, etc.) : aucun problème de compréhension.

La métaphore annoncée (ou *in praesentia*). Le comparant (B) et le comparé (A) sont exprimés.
Exemple : je me suis baigné dans le Poème de la mer (A. Rimbaud). Comme poème et mer ont peu de sèmes communs (beauté + immensité), la présence du comparant et du comparé est nécessaire à la compréhension.

■ Métaphore et comparaison

■ Dans la comparaison, écart syntagmatique (= écart d'accrochage des mots), le comparé A et le comparant B conservent leur autonomie, confirmée par un outil de comparaison (tel, comme, ressembler, paraître, semblable à…).
Exemple : l'homme est semblable à un roseau.

■ Au contraire, dans la métaphore, même annoncée, il y a substitution d'un mot à un autre. Exemple : L'homme est un roseau pensant (Pascal). Le verbe être marque la substitution.

■ Métaphore et significations

La métaphore accumule les significations en réalisant l'addition suivante :

Une part du sens dénoté du comparé
+ Sens dénoté du comparant
+ Connotations du comparant
+ Connotations venues du contexte
= Constellation de significations !

■ Exercice 1

1. Dans les énoncés suivants, repérez les métaphores et classez-les (directes ou annoncées).
2. Indiquez le comparé.
3. Quels sont les sèmes communs entre comparés et comparants ?
4. Quels effets produisent ces métaphores ?

– Le raz de marée de la droite s'est
  confirmé au second tour des
  législatives (extrait de presse).
– Le soleil prolongeait sur la cime des
                              [tentes,
  Ces obliques rayons, ces flammes
                              [éclatantes,
  Ces larges traces d'or qu'il laisse dans
                              [les airs.
                    A. de Vigny, *Moïse*
– Il a mis l'auditoire dans sa poche.

■ Exercice 2

Remplacez les mots en italique par des métaphores.

Île rocheuse de Méditerranée, Chypre n'a jamais pu *changer* son destin. Cette terre *abandonnée* voulait se *rattacher* à la Grèce. Elle a dû *dépendre* de l'Angleterre, sa *protectrice*, avant de se faire *envahir* par la Turquie qui, depuis 1974, occupe le tiers de son territoire.

Métaphore ou hallucination ?

■ La métaphore apparaît souvent dans les rêves nocturnes : cette dame qui rêve qu'elle tue une chienne révèle son désir d'éliminer sa chienne… de rivale.
■ Le caractère hallucinatoire de la métaphore est souligné par Nerval, Rimbaud et les Surréalistes. Dans le fameux texte de l'*Alchimie du Verbe*, Rimbaud rappelle cette expérience poétique et existentielle : « Je m'habituai à l'hallucination simple : je voyais très franchement une mosquée à la place d'une usine. »

LANGUE ET STYLE

MÉTAPLASMES

MÉTRIQUE

CHOIX DES MOTS

COMBINAISON DE MOTS

TYPOLOGIE DE TEXTES

L'univers de la métaphore

> **La métaphore est fondée sur la substitution d'un mot comparant à un mot comparé selon un rapport de ressemblance. Ce rapport de ressemblance se construit souvent d'un comparé à un comparant concrets. Mais il est également possible du concret à l'abstrait et inversement.**

■■■■■ Du concret au concret

□ **Le concret.** C'est ce que les sens perçoivent, d'un parfum à la vue du soleil, d'un bruit au toucher d'une étoffe ou aux sensations gustatives.

□ **Les associations synesthésiques** (du grec *sunaisthēsis* : perception simultanée). L'homme établit de nombreuses relations de similitudes entre des perceptions dues à des sens différents. Un jeu de métaphores devient alors possible entre l'ouïe, le toucher, la vue, etc. Comme l'a écrit Baudelaire, « les parfums, les couleurs et les sons se répondent ». Exemple : La flûte inquiète du réséda (= idée d'un parfum discret, délicat, fugace), une blancheur molle (vue et toucher).

□ **Le jeu concret/concret.** Un même sens (vue, toucher, ouïe…) peut percevoir comme semblables des éléments appartenant à des isotopies (= secteurs de la réalité) différentes. Exemple : Dans ce vers de Hugo, la métaphore du caillou concerne deux isotopies perceptibles par l'œil : le ciel et la terre.

Je suis le caillou d'or et de feu que Dieu jette (V. Hugo, *Stella*)

        L'étoile est le comparé (isotopie du ciel),
        le caillou le comparant (isotopie de la terre).

□ **Effets du jeu concret/concret** : création de rapports insolites entre isotopies.

■■■■■ L'abstrait et le concret

□ **L'abstrait.** Un mot est dit abstrait lorsqu'il se réfère à une qualité, une manière d'être ou d'agir, qui ne sont pas directement perçues par les sens. Exemples : la pâleur, l'absurde, Dieu. En fait, l'opération intellectuelle de l'abstraction a pour prélude l'observation de multiples objets ou de multiples événements. Le jeu métaphorique peut donc bénéficier de cette parenté, même lointaine, entre l'objet et la pensée qu'il a suscitée.

□ **De l'abstrait au concret.** Un terme abstrait est le comparé que remplace son comparant concret. Effets : chaleur de la vie retrouvée, surgissement d'images.

Exemple : C'est le dindon de la farce !

        Ce comparant concret remplace le comparé abstrait « victime ».

□ **Du concret à l'abstrait.** La substitution est plus difficile, plus rare mais plus surprenante. Exemple : Dans « vivre c'est l'inquiétude » (J. Malrieu), le comparant « l'inquiétude », mot abstrait, remplace le très concret « vivre ». En général, ce type de métaphore crée des effets de distanciation du réel et de méditation.

■■■■■ L'univers linguistique de la métaphore

Née de la perception, de l'imaginaire et des rêves, la métaphore s'investit dans un texte. Noms, verbes, adjectifs ou adverbes peuvent en devenir les supports.

LIEUX DES MÉTAPHORES

■ Les échanges concret/concret

D'une isotopie concrète à une autre isotopie concrète, la substitution métaphorique est facile.

De l'inerte au vivant : l'Europe avance = (personnification de l'Europe).

De l'homme à l'animal : C'est un vieux renard (= homme rusé et pervers).

De l'homme à l'univers végétal : voici le noyau du dispositif (= le centre, comme celui d'un fruit).

De l'homme aux forces de la nature. La tendance humaine à l'anthropomorphisme, c'est-à-dire à accorder aux forces naturelles et aux dieux des aspects et des intentions humains, a donné un nombre impressionnant de métaphores : le vent se lève (= personnification), le hennissement du blanc cheval aurore (Hugo introduit la synesthésie entre l'ouïe et la vue).

D'un élément naturel à un autre : une pluie de rayons brûlants (de l'Eau au Feu), vaisseau cosmique.

■ Les mots de la métaphore

Noms	Les roses de la vie (Ronsard) = bonheur, joies de la vie.
	La lune pend, rouge abricot = la lune rougeoyante.
Adjectifs	Le PSG ensablé (titre de presse) = arrêté dans sa marche en championnat.
	Une dévorante obscurité nous habite (J. Bousquet) = envahissante, hostile.
Verbes	Le vent bourdonne dans les platanes (J. Giono) = émet un bruit de vol d'insectes.
	Les étoiles volaient dans les branches des arbres (V. Hugo) = semblaient bouger.

■ Exercice 1

1. Repérez les métaphores
2. Classez-les selon le rapport entre le comparé et le comparant : homme/animal, air/eau, abstrait/concret, etc.
3. Quels effets produisent-elles ?

– Les jeunes loups de son ministère lui font la vie rude.
– Elle est superbement bronzée.
– Drôle de tête ! Une citrouille joufflue et des yeux de poisson !
Poésie ! ô trésor ! perle de la pensée (A. de Vigny)
– Écoute le tonnerre, ce bûcheron, traverser la nuit (J. Malrieu)

■ Exercice 2

1. Inventez trois métaphores selon le rapport inerte/vivant,
trois selon le rapport homme/animal,
trois selon le rapport homme/nature.
2. Employez-les dans neuf phrases.

Vie et mort des métaphores

■ Lorsque la langue ne possède aucun mot propre pour désigner un objet, elle procède par métaphores, alors appelées catachrèses. Exemples : le bras du fauteuil, le fouet du cuisinier, l'assemblage en queue d'aronde, la feuille de papier.

■ Certaines métaphores, vives et inattendues à leur naissance, peuvent devenir des « figures d'usage », figées par la langue, c'est-à-dire des clichés. Exemples : encore une bavure à Jérusalem, faut pas mettre la charrue avant les bœufs, un pas vers le titre (sport). La presse fait un usage immodéré de ces métaphores.

■ Le style ne peut se satisfaire des catachrèses ou des clichés. Il doit créer des « métaphores vives » dont l'irruption rajeunit le texte et le monde.

LANGUE ET STYLE

MÉTAPLASMES

MÉTRIQUE

CHOIX DES MOTS

COMBINAISON DE MOTS

TYPOLOGIE DE TEXTES

Les réseaux métaphoriques

La métaphore n'est pas forcément isolée. Elle peut être filée, s'associer à d'autres métaphores dans un champ lexical, appartenir à une chaîne métaphorique qui en croise une autre.

▬▬▬ La métaphore filée

☐ Définition. La métaphore filée est en fait une suite de métaphores sur le même thème (le même « fil ») et qui présentent donc un certain nombre de sèmes communs (sème = élément de signification d'un mot).

Exemple : Tout le jour, *le fleuve du vent s'est rué* dans les *cuvettes* de la Drôme. *Monté* jusqu'aux châtaigneraies, *il a fait les cent coups du diable* dans les grandes branches ; il *s'est enflé*, peu à peu, jusqu'à *déborder* les montagnes et, sitôt le bord *sauté, pomponné* de pelotes de feuilles, il *a dévalé* sur nous. J. Giono, *Colline*, Grasset, 1929

☐ Effets. La métaphore initiale en engendre d'autres, jusqu'à la création d'un univers second, merveilleux ou fantastique. On a l'impression d'un essaimage.

▬▬▬ La métaphore dans le champ lexical

☐ Le champ lexical. C'est, dans un énoncé, l'ensemble des mots et expressions qui se réfèrent à la même idée générale. Certains désignent, d'autres caractérisent.

☐ Métaphore et caractérisation. La métaphore appartient par sa nature à la caractérisation. En effet, le mot remplacé (= le comparé) constitue un *thème* et son remplaçant (= le comparant) un *phore*, c'est-à-dire un propos, un jugement de valeur chargé de connotations. Dans le champ lexical, la métaphore est liée aux autres caractérisants : adjectifs, verbes, adverbes. Cet accompagnement facilite sa compréhension.

Exemple : ...ce mobilier est vieux, crevassé, pourri, tremblant, *rongé, manchot, borgne, invalide, expirant*...

Balzac, *Le Père Goriot*

Métaphores

▬▬▬ Les entrelacs métaphoriques

☐ Les chaînes métaphoriques appartenant à des champs lexicaux différents peuvent se croiser ou se combiner.

Exemple : À midi, sous un soleil assourdissant, la mer se soulève à peine, exténuée. Quant elle retombe sur elle-même, elle fait siffler le silence. Une heure de cuisson et l'eau pâle, grande plaque portée au blanc, grésille. Elle grésille, elle fume, brûle enfin.

Champ lexical du feu

Champ lexical de la mer

Croisements de chaînes

A. Camus, *L'Eté*, Gallimard, 1959

☐ Effets. Création d'un univers mystérieux et second, prolifération de la polysémie.

ANALOGIES

■ Métaphores publicitaires

■ Dans l'image publicitaire, la métaphore peut parfois être exprimée sans le secours du texte. Deux cas :
– la substitution métaphorique concerne un élément de l'ensemble représenté (exemple : un caméscope à la place d'une tête métaphorise le touriste et marque sa manie filmique) ;
– la reproduction du comparé et du comparant marque le rapport de ressemblance mais il est impossible de différencier métaphore et comparaison.

■ La plupart du temps, un texte d'appoint assume une part de la substitution métaphorique : l'image représente le comparant et le texte nomme le comparé.

■ Dans un texte, le même mot ne peut exprimer à la fois une métaphore, une synecdoque et une métonymie. L'image, au contraire, est dotée de ce pouvoir. Ainsi, dans l'image de Swatch, la palette ressemble à un visage (métaphore) et certains motifs des bracelets ressemblent aux taches picturales sur la palette.

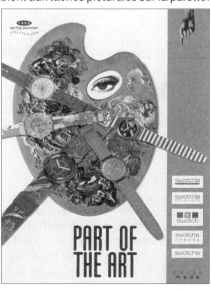

Le rapport entre la palette et l'art est à la fois synecdochique (partie pour le tout « art ») et métonymique (cause palette pour l'effet art). Le slogan *Part of the Art* confirme la synecdoque.

■ Exercice 1

1. Repérez les métaphores du texte.
2. Analysez ces métaphores (comparé et comparant, effets de la métaphore).
3. Montrez que certaines sont filées.
4. Montrez que deux réseaux lexicaux interfèrent.

SANGUINE

La fermeture éclair a glissé sur tes reins
et tout l'orage heureux de ton corps
                                        [amoureux
au beau milieu de l'ombre
a éclaté soudain
Et ta robe en tombant sur le parquet ciré
n'a pas fait plus de bruit
qu'une écorce d'orange tombant sur un
                                        [tapis
Mais sous nos pieds
ses petits boutons de nacre craquaient
                                [comme des pépins
Sanguine
joli fruit […]

J. Prévert, *Spectacle,* Gallimard, 1949

■ Exercice 2

Complétez le texte suivant par des mots ou des métaphores qui appartiennent aux champs lexicaux de feu et de mort.

La mer était extraordinaire. Il semblait que l'eau fût............. Aussi loin que le regard pouvait s'étendre, dans l'écueil et hors de l'écueil, toute la mer............. . Ce flamboiement n'était pas rouge ; il n'avait rien de la grande flamme vivante des............. et des............. . Aucun pétillement, aucune ardeur, aucune pourpre, aucun bruit. Des traînées............. imitaient sur la vague des plis de suaire. Une large lueur............. sur l'eau. Ce n'était pas l'incendie, c'en était le spectre.

V. Hugo, *Les Travailleurs de la Mer*

LANGUE ET STYLE

MÉTAPLASMES

MÉTRIQUE

CHOIX DES MOTS

COMBINAISON DE MOTS

TYPOLOGIE DE TEXTES

Les atténuations

Les atténuations concernent l'énonciation d'un message : l'auteur décide d'écrire en deçà de sa pensée, de ses sentiments. Il peut employer la litote et l'euphémisme, deux écarts de style, pratiquer l'exténuation qui concerne un texte entier, et même rechercher un style « blanc ».

■ La litote

□ Définition. La litote est un écart paradigmatique (= dans le choix des mots) : un mot ou une expression B remplace un mot ou une expression A. B dit moins que A, l'atténue, le minore.

Exemple : Elle ne m'est pas indifférente

└─B remplace A = je l'aime

La litote est souvent liée à d'autres écarts de style comme la métonymie (ex : *le joueur a reçu un carton* = a commis une faute) ou l'ironie.

□ Effets. Le paradoxe de la litote, c'est qu'en fait elle dit le moins pour exprimer le plus : elle peut être comprise comme... hyperbolique. La sobriété, la mesure, la pudeur y sont donc feintes.

□ Situations d'emploi. Fréquente dans la littérature classique (pudeur des sentiments, respect des bienséances) et chez certains contemporains (Camus, M. Duras).

■ L'euphémisme

□ Définition. L'euphémisme est un cas particulier de litote. Il atténue des idées ou des sentiments désagréables, cruels, grossiers, agressifs.

Exemple : Veuillez prendre la porte !

└─ A = sortir... et vite !

L'euphémisme est souvent lié à d'autres écarts, par exemple la métonymie (*Prendre la porte* = cause de l'effet recherché : sortir).

□ Effets. À peu près les mêmes que ceux de la litote. En outre, l'euphémisme est la marque de l'obéissance à la censure sociale et aux tabous sur la violence, la scatologie, le sexe. Il respecte la douleur d'autrui ou ménage la susceptibilité.

□ Situations d'emploi. Expression d'une mort et d'un deuil (il n'est plus, elle est décédée), langue diplomatique, presse : une « compression du personnel » (B) est une mise au chômage (A).

■ L'exténuation

L'exténuation concerne non pas un mot mais la totalité d'un énoncé. Elle peut donc englober des litotes ou des euphémismes. Elle remplace les idées et les sentiments véritablement pensés et éprouvés par des idées et des sentiments moins forts.

Exemple : « c'est un film parfois un peu simple, plus proche d'un mélodrame que d'une tragédie racinienne. Il ne suscite pas l'enthousiasme, on peut même ne pas le voir. » Traduction : ce film est franchement simpliste, schématique comme un mélodrame, sans intérêt.

DIRE MOINS, EXPRIMER PLUS

■ Écriture et style blancs

■ Une écriture (style de groupe) et un style sont appelés « blancs » lorsque l'auteur livre un minimum d'idées et de sentiments, avec le minimum de moyens syntaxiques (phrases simples, courtes, laconiques), comme s'il n'était pas impliqué.

■ Ce type de style, qui minore la présence de l'émetteur, accroît l'importance de l'énoncé. Les silences créent des effets de distanciation. Le lecteur, intrigué, s'efforce d'interpréter.
Exemple : le minimum d'informations est rapporté. Au lecteur d'imaginer les paroles, les émois et d'animer le silence.

L'homme élégant est descendu de la limousine, il fume une cigarette anglaise. Il regarde la jeune fille au feutre d'homme et aux chaussures d'or. Il vient vers elle lentement. C'est visible, il est intimidé. Il ne sourit pas tout d'abord. Tout d'abord il lui offre une cigarette. Sa main tremble. Il y a cette différence de race, il n'est pas blanc, il doit la surmonter, c'est pourquoi il tremble. Elle lui dit qu'elle ne fume pas, non merci. Elle ne dit rien d'autre, elle ne lui dit pas laissez-moi tranquille.

M. Duras, *L'Amant*, Éd. de Minuit, 1984

■ La prétérition

Définition. On feint de passer sous silence ce sur quoi on attire l'attention. Exemple : je ne vous dirai pas combien j'ai été affecté par la nouvelle.
Effets. L'atténuation est absolument illusoire et l'énonciation (je ne vous dirai pas) contredit l'énoncé.

■ Exercice 1

1. Dans les énoncés suivants, repérez les écarts et les procédés d'atténuation. À quels autres écarts sont-ils associés ?
2. Indiquez les mots et les idées remplacés. Quels sont les effets produits ?

– Il n'y a que deux choses au monde capables de rendre un être humain pleinement heureux. Voici la deuxième. (Publicité).
– Le courage n'est pas son fort !
– Il n'a pas inventé l'eau tiède !
– Nous entrons en récession.
– Les Maures, peuple nomade, ont fait une halte de huit siècles en Espagne.

■ Exercice 2

Essayez de transformer ce texte en lui conférant un style « blanc » (phrases simples et courtes, réduction de l'information, distanciation, etc.)

Le petit garçon mit sa petite main dans la main de son père sans s'étonner puisque c'était déjà une vieille habitude. Toutefois il pensait qu'il y avait bien longtemps qu'il ne l'avait pas fait. Ils sortirent du jardin et il vit que maman avait mis un pot de géranium à la fenêtre de la cuisine. Comme elle le faisait habituellement, quand papa sortait. L'enfant pensait que ce signe était franchement ridicule. Il faisait un temps splendide. Certes, il y avait des nuages mais ils étaient informes et s'effilochaient. Le petit garçon n'avait pas envie de les regarder. Il regardait le bout déjà usé de ses petits souliers qui chassaient devant eux les graviers de la route. Papa voyait bien ce jeu et il n'en était pas dupe mais, bizarrement, il ne disait rien alors que, d'habitude, il se fâchait quand il entendait ce bruit-là.

Litotes publicitaires

La publicité utilise volontiers la litote. Il lui suffit de l'image d'un sac à main et d'un slogan du type « Nous n'avons que cet objet à vous proposer ».
L'objet à vendre est photographié ou dessiné et le texte crée la distanciation, feint de minorer les qualités du produit, joue l'hypocrite modestie.

LANGUE ET STYLE

MÉTAPLASMES

MÉTRIQUE

CHOIX DES MOTS

COMBINAISON DE MOTS

TYPOLOGIE DE TEXTES

Les exagérations

> Lorsqu'un auteur cherche à exagérer, il trouve à sa disposition l'hyperbole et sa variante superlative, l'adynaton. Ces deux écarts de style peuvent rejoindre d'autres procédés rhétoriques et participer à un style ou une écriture (= style collectif, adopté par un groupe).

■■■■■ L'hyperbole

□ Définition. L'hyperbole est un écart de style fondé sur la substitution d'un mot ou d'une expression B à un mot ou une expression A normalement attendu, de façon à exagérer : B dit plus que A.

Exemple : Nous offrons ce téléviseur à un prix incroyable ◄── A = intéressant

□ Fonctionnement. L'hyperbole peut concerner plusieurs mots. Elle peut doubler un autre écart. Ainsi, dans la phrase publicitaire « l'ouragan souffle sur les prix », ouragan est à la fois métaphorique et hyperbolique.

□ Effets. Très souvent associée à la fonction conative du langage (le lecteur est interpellé, impliqué), l'hyperbole essaie de convaincre et/ ou de faire rire. Elle peut aussi provoquer l'indignation ou introduire à un monde fantastique.

□ Situations d'emploi. Courante dans la langue familière, volontiers expressionniste, l'hyperbole convient au discours politique, au pamphlet, à la presse, au lyrisme, à l'épopée et aussi aux textes humoristiques ou caricaturaux. Elle est la manne des énoncés publicitaires !

■■■■■ L'adynaton

□ Définition. L'adynaton est une hyperbole tellement exagérée qu'elle paraît fallacieuse. En somme, c'est une hyperbole hyperbolique.

Exemple : Il a un appétit à avaler des bœufs entiers, des autruches crues et même des tas de briques.

□ Effets et utilisations. L'adynaton crée une atmosphère irrationnelle, fantastique ou délirante, et souvent cocasse. D'où son apparition dans les fatrasies médiévales, les comptines, le théâtre comique (invectives, injures).

■■■■■ Écriture et style hyperboliques

□ L'hyperbole comme normalité. Les Anciens distinguaient dans le discours plusieurs tons, c'est-à-dire plusieurs types d'effets dominants. Le ton sublime, qui convenait à l'épopée, à la tragédie, aux discours, usait de l'hyperbole, associée aux procédés d'insistance (anaphore, gradation, périodes). De nos jours, ce sublime se maintient dans certains discours (de Gaulle, Malraux) et sermons. Le théâtre et la poésie y ont parfois recours (P. Claudel, Saint-Pol-Roux, E. Rostand).

□ Hyperbole et emphase. Lorsque le ton sublime confine au ridicule par la maladresse des hyperboles, les excès déclamatoires et la syntaxe pompeuse, il produit des effets comiques que l'auteur n'avait pas forcément souhaités. En revanche, la parodie recherche cette dérision à des fins polémiques. Exemple : le discours des Comices agricoles dans *Madame Bovary*.

VARIATIONS HYPERBOLIQUES

■ Le lexique hyperbolique

■ Beaucoup de mots sont par nature hyperboliques, notamment des adjectifs : géant, champion, fabuleux, remarquable, fantastique, ignoble...

■ Des affixes à la mode sont porteurs d'hyperboles comme super, hyper (c'est hyper sympa, super bien...) ou -issime (le célébrissime Trénet).

■ Les superlatifs sont fréquemment hyperboliques : le moins cher des magnétoscopes, le plus grand livre du siècle, le plus pourri des pourris...

■ Hyperbole et caricature

La caricature est la description outrée et défavorable d'une attitude, d'une situation, d'un personnage. Exemple : dans ce portrait, Th. Gautier procède par accumulation de substantifs et d'adjectifs dépréciatifs. Hyperboles et adynatons y transparaissent.

Des cheveux gris, plaqués aux tempes, un nez cardinalisé de purée septembrale, tout fleuri de bubelettes, s'épanouissant en bulbe entre deux petits yeux vairons recouverts de cils très épais et bizarrement noirs, des joues flasques, martelées de tons vineux et traversées de fibrilles rouges, une bouche lippue d'ivrogne et de satyre, un menton à verrue, où s'implantaient quelques poils revêches et durs comme des crins de vergette, composaient un ensemble de physionomie digne d'être sculptée en mascaron sous la corniche du Pont-Neuf.

Th. Gautier, *Le capitaine Fracasse*, 1863

■ Exercice 1

1. Repérez les hyperboles et les adynatons.
2. Montrez que certains sont liés à d'autres écarts.
3. Quels sont les effets produits ?

– Ils se sont rués à l'assaut du but adverse.
– Avant inventaire, tout le stock à prix invraisemblables.
– Le géant roumain du basket a crucifié l'infortuné Racing.
– Le soleil se hâtant pour la gloire des [Cieux
Vint opposer sa flamme à l'éclat de ses [yeux
Et prit tous les rayons dont l'Olympe se [dore.
L'onde, la terre et l'air s'allumaient à [l'entour,
Mais auprès de Philis on le prit pour [l'Aurore,
Et l'on crut que Philis était l'astre du [Jour.

V. Voiture, *La Belle matineuse*

■ Exercice 2

Complétez ce portrait de façon à le rendre caricatural.

Le baron Narcisse de Saint-Auréol portait culottes............, souliers............, cravate de mousseline et jabot. Une pomme d'Adam, aussi............ que le menton, sortait de l'............ échancrure du col et............ de son mieux sous un bouillon de mousseline ; le menton, au............ de la mâchoire, faisait un extraordinaire effort pour rejoindre le nez qui, de son côté, y mettait............ Un œil restait............ clos ; l'autre, vers qui............ le coin de la lèvre et tendaient tous les plis du visage, brillait clair,............ derrière la pommette et semblait dire : « Attention ! je suis seul, mais rien ne m'échappe. »

A. Gide, *Isabelle*, Gallimard, 1911

La publicité : une rhétorique de l'hyperbole
Hyperboles et adynatons sont évidemment présents en publicité puisque tout produit doit paraître extraordinaire. Une véritable rhétorique de l'hyperbole s'est développée autour de l'objet à vendre : on l'encadre, on le statufie sur un socle, on célèbre ses charmes et son prix modique.

LANGUE ET STYLE

MÉTAPLASMES

MÉTRIQUE

CHOIX DES MOTS

COMBINAISON DE MOTS

TYPOLOGIE DE TEXTES

Antiphrase et ironie

> Fondées sur le mensonge et l'hypocrisie apparents, l'antiphrase et l'ironie substituent à un sens un autre sens de surface. Armes des moralistes, des polémistes et de tous les esprits libres, elles sont souvent associées à d'autres écarts de style. Elles impliquent la connivence et même l'engagement du lecteur.

L'antiphrase

☐ Définition. L'antiphrase consiste à dire l'inverse (B) de ce qu'on veut exprimer (A). C'est un écart paradigmatique (il porte sur la substitution d'un élément à un autre).

Exemple : Sur quoi m'as-tu donc fait ce serment ? – Ah ! sur rien,
   Peu de chose après tout ! La tête de ton père !
   Cela peut s'oublier.   V. Hugo, *Hernani,* 1830

☐ Fonctionnement. L'antiphrase exprime toujours trois significations : sens dénoté (= sens objectif) de B + sens de A à retenir obligatoirement + connotations (= sens seconds) provoquées par la substitution.

☐ Effets. Tristesse, tragique, amertume, révolte, indignation.

☐ Situations d'emploi. Dès qu'il y a rupture de la loi morale ou négation des valeurs, dès que l'homme est en péril ou qu'il est victime de l'injustice, l'antiphrase peut être utilisée. C'est le cas dans les textes polémiques ou le théâtre d'idées.

L'ironie

☐ Définition. L'ironie est une antiphrase dont le but est la raillerie. Exemple : À un sans-gêne qui occupe une énorme place dans le métro, on dira : « je ne vous gêne pas trop ? ». Il faut évidemment traduire B par A : « vous prenez toute la place ! ».

☐ Fonctionnement. Comme l'antiphrase, l'ironie, pour être reconnue, implique la connivence du lecteur. C'est parfois d'autant plus difficile qu'elle peut n'être présente que dans les intonations. D'où la proposition d'Alcanter de Brahm : utiliser un point d'ironie qui ressemble à un point d'interrogation retourné. La force de l'ironie lui vient de l'utilisation de la position de l'adversaire : elle la présente (B) pour mieux la ridiculiser et la détruire.

☐ Effets. L'ironie raille, est souvent sarcastique, déclenche le sourire, le rire et se met au service de l'humour.

☐ Situations d'emploi. L'ironie est une arme pour le polémiste, l'écrivain ou le journaliste engagé, le poète révolté. Les « philosophes » du XVIIIe siècle – Fontenelle, Montesquieu, Voltaire, Diderot – y ont eu recours. De nos jours, Alain, Gide, A. France, Prévert lui ont accordé une place majeure.

☐ Antiphrase ou ironie ? La distinction entre l'antiphrase et l'ironie est parfois difficile. Exemple : ironisant dans son *Bloc-Notes* sur le gouvernement de J. Laniel, F. Mauriac écrit : « Ô chevalier à tête de bœuf, subtils tacticiens de Rabat, stratèges inspirés par Dien-Bien-Phu ». Le « chevalier » est très bovin, les « tacticiens » et les « stratèges » sont des politiques et des généraux minables. Jusqu'ici, on sourit. Mais quand on sait que ces personnages sont responsables du sang versé au Maroc et de la défaite de Dien-Bien-Phu, on s'indigne et on déplore la tragédie.

CONTRAIRES ET PARADOXES

■ Variantes de l'antiphrase et de l'ironie

Les rhétoriqueurs, dans leur fureur clas-sificatrice, ont distingué de nombreuses modalités de l'antiphrase et de l'ironie.

L'ironie par exclamations et apostrophes. On s'adresse à quelqu'un en l'apostrophant vigoureusement. L'ironie est particulièrement forte.

À une femme laide, un méchant criera : « Ô Vénus admirable, les poches de vos yeux attirent mes regards ».

L'astéisme. On flatte (A) en ayant l'air d'accuser (B). L'astéisme s'apparente au badinage. C'est une contre-ironie.

Exemple 1 :
Il faut finir mes jours en l'amour d'Uranie !
L'absence ni le temps ne m'en sauraient
[guérir,
Et je ne vois plus rien qui me pût
[secourir,
Ni qui sût rappeler ma liberté bannie.
V. Voiture, Sonnet d'Uranie

Exemple 2, plus familier : « Alors, sacré chenapan, toujours aussi bête ? »

Le chleuasme. Dans ce cas, le locuteur ironise sur lui-même avec une arrière-pensée : obtenir des protestations de son interlocuteur.

Ah ! Je suis vraiment un imbécile et un égoïste… Incorrigible hélas…

■ Exercice 1

1. Dans les énoncés suivants, relevez l'ironie ou l'antiphrase. À quels indices peut-on les repérer ?
2. Décodez-les en donnant le sens exprimé (A).
3. Quels sont les effets produits par ces écarts ?

Champagne, au sortir d'un long dîner qui lui enfle l'estomac, et dans les douces fumées d'un vin d'Avenay ou de Sillery, signe un ordre qu'on lui présente, qui ôte-rait le pain à toute une province, si l'on n'y remédiait. Il est excusable : quel moyen de comprendre, dans la première heure de la digestion, qu'on puisse quelque part mourir de faim ?
La Bruyère, Caractères

Rien n'était si beau, si leste, si brillant, si bien ordonné que les deux armées. Les trompettes, les fifres, les hautbois, les tambours, les canons, formaient une harmonie telle qu'il n'y en eut jamais en enfer. Les canons renversèrent d'abord à peu près six mille hommes de chaque côté ; ensuite la mousqueterie ôta du meilleur des mondes environ neuf à dix mille coquins qui en infectaient la surface.
Voltaire, Candide

■ Exercice 2

1. Rédigez un paragraphe dans lequel, par antiphrases, vous protesterez contre une attitude scandaleuse, de façon à susciter révolte et réprobation.
2. Rédigez un paragraphe dans lequel, maniant l'ironie et le paradoxe, vous célèbrerez la paresse.

Le paradoxe

■ Le paradoxe n'est pas un écart de style mais une manière de penser et d'écrire contraire à l'habitude, aux idées reçues, aux valeurs généralement admises. Le procédé est donc proche de l'antiphrase et de l'ironie.

■ Le paradoxe étonne et questionne, amuse ou inquiète. Il est donc très cona-tif : le lecteur ne saurait rester indifférent. D'où son emploi dans la presse, les textes polémiques, la publicité et, bien entendu, l'humour.

La « morale » des *Fables* de La Fontaine adopte souvent l'allure paradoxale : « Les plus à craindre sont souvent les plus petits » (*Le Lion et le Moucheron*). Les polémistes sont friands de paradoxes : « L'opinion de la majorité, c'est le consen-sus des ignorants » (P. Gripari, *Reflets et réflexes*, l'Âge d'Homme, 1983).

LANGUE ET STYLE

MÉTAPLASMES

MÉTRIQUE

CHOIX DES MOTS

COMBINAISON DE MOTS

TYPOLOGIE DE TEXTES

L'allégorie

Au sens étymologique, l'allégorie consiste à s'exprimer (*agoreuein*) en d'autres termes (*allos* : autre) que ceux attendus. Elle est en effet un type d'écriture très symbolique, à double sens. Fréquemment utilisée dans les textes mythiques, les fables, la poésie médiévale, elle reprend vie à notre époque.

■■■■ Définition de l'allégorie

L'allégorie est caractérisée par l'emploi systématique de certains écarts de style chargés de concrétiser une abstraction, un sentiment ou une passion, une force de la nature. Elle peut concerner un texte court ou une œuvre entière.

■■■■ Une écriture codée à double signification

La suite de descriptions, de récits, de figures rhétoriques de l'allégorie porte toujours deux sens ;
– le sens dénoté, c'est-à-dire direct, de l'histoire racontée ;
– le sens connoté, second et symbolique, obligatoire parce que codifié.
Cette obligation de sens différencie l'allégorie du symbolisme, ensemble de significations librement décodables.
Exemple : dans *Le Corbeau et le Renard*, de La Fontaine, au-delà de l'histoire amusante de ces deux animaux (premier sens) il faut découvrir la signification allégorique : corbeau/roi/flatté par les courtisans et renard/courtisan/flatteur/profiteur. Cette fable, en effet, fut écrite pour l'éducation du Dauphin.

■■■■ Une rhétorique multiforme

À la limite, l'allégorie peut employer tous les écarts possibles, de la métaphore à l'hyperbole et de l'anaphore à l'antithèse. Mais, traditionnellement, trois procédés la caractérisent : la métaphore filée, la personnification et la prosopopée.

■■■■ Les effets de l'allégorie

☐ L'effet pédagogique. L'allégorie, par la concrétisation des idées et la personnification des forces naturelles, rend l'univers limpide, en facilite la compréhension. C'était le cas de l'allégorie médiévale.
☐ Une vision rafraîchissante. Dans l'univers tout devient animé, chaque force obscure a un corps, un esprit, une parole. Le symbolisme, né du retour à une « pensée sauvage », est partout.
☐ Des risques de sècheresse. Trop souvent conventionnelles, les allégories mythologiques ont été usées par la littérature. Aux vrais créateurs d'en imaginer d'autres.

■■■■ Situations d'emploi de l'allégorie

L'allégorie est naturelle puisqu'elle hante tous nos rêves. Ses genres de prédilection sont les mythes, les paraboles, les contes et les fables, la poésie épique. En fait, comme écriture codée, elle peut pénétrer tous les genres, de l'article sportif à la poésie surréaliste, du théâtre au Nouveau Roman des années soixante.

EXPRESSIONS DE L'ALLÉGORIE

■ Trois procédés allégoriques

La métaphore filée. C'est un essai-mage de métaphores sur une idée conductrice commune (page 70).

La personnification. Ce procédé de substitution permet de donner figure humaine aux abstractions, aux animaux aux objets.

La prosopopée permet de donner la vie, les sentiments, les idées, la parole à un objet ou à un être absent, mort et, donc, de les mettre en scène. C'est un cas particulier de personnification. Exemple : dans *la Maison du Berger*, d'A. de Vigny, la Nature s'adresse au poète : « Je suis l'impossible théâtre... »

■ Les genres allégoriques

Le mythe. Le mythe, oral ou écrit, conte les origines de l'univers, de l'homme, des sociétés. Il met en scène des forces naturelles, des dieux, des héros. Dans le mythe, on croit aux allégories.

La parabole est un récit allégorique por-teur d'une leçon religieuse ou morale.

La fable. Son sens allégorique est sou-vent indiqué dans la morale de l'histoire. La fable met des animaux en scène.

■ Exercice 1

1. Quels procédés et quels écarts de style utilise l'allégorie ?
2. Dans un petit tableau, classez les procédés et indiquez les effets obtenus

Procédés	Exemples dans le texte	Effets
....	....	....
....	....	....

Jusqu'à l'aube le vent souffla. Cédant à la poussée grandissante du souffle, l'espace lentement se dilatait. Aspirant, expirant, comme une colossale poitrine, les trombes d'air, cette respiration formi-dable montait et descendait au cœur de la tempête. Car la tempête avait un cœur, point fougueux d'où se ruait, en pulsa-tions tumultueuses, la vie de la bête mas-sive qui s'engouffrait dans le creux des ténèbres, en haletant de ses mille naseaux vivaces et noirs. Par moments, la figure brutale de maître Dromiols paraissait et disparaissait dans le vent. Carré d'épaules et de reins, le visage impassible, il montait dans une rafale mugissante, puis il s'enfonçait au flanc d'un nuage qui gron-dait de colère en l'enveloppant. Des tau-reaux blancs nageaient sur des fleuves impétueux de vents glauques et lourds et ils meuglaient dans le courant, le mufle haut, en glissant vers la mer.

H. Bosco, *Malicroix*, Gallimard, 1948

■ Exercice 2

Rédigez un petit texte allégorique sur une saison, un animal, un instinct, votre ville...

Actualité de l'allégorie

De nombreux auteurs contemporains ont su recourir à l'allégorie. Les Surréalistes ont compris qu'elle naissait du désir et des rêves. Comme l'écrit A. Breton, à qui la bizarre, apparition du « Poisson solu-ble » s'est imposée, « N'est-ce pas moi le Poisson soluble, je suis né sous le signe des Poissons et l'homme est soluble dans sa pensée ! » (*Manifeste du Surréalisme*). *La Peste*, d'A. Camus, est d'essence allé-gorique : cette histoire d'une épidémie à Oran se double de la résurgence symbo-lique de la peste nazie, de la collaboration et de la résistance. De même, dans *Rhino-céros* de Ionesco, la transformation des hommes en rhinocéros incarne l'instinct grégaire et la « conversion » totalitaire.

LANGUE ET STYLE

MÉTAPLASMES

MÉTRIQUE

CHOIX DES MOTS

COMBINAISON DE MOTS

TYPOLOGIE DE TEXTES

Les images surréalistes

Fondé en 1924, le surréalisme s'est présenté comme un mouvement révolutionnaire de « libération totale de l'esprit », hors du contrôle de la raison et des tabous. L'image surréaliste, fraîche et inattendue, énigmatique et difficile à percevoir, est partie prenante de cet élan libertaire.

▉▉▉▉ Définition et nature de l'image surréaliste

Au premier abord, l'image surréaliste semble inclassable. Il est très difficile et souvent impossible de la réduire à un trope (écart de style de substitution) comme la métaphore ou la métonymie. En effet, elle est dépourvue de référent réel : elle ne renvoie pas à un objet, un être, une situation reconnaissables.

Exemple : Parfums éclos d'une couvée d'aurores ◄——— Réductible à une métaphore
Qui gît toujours sur la paille des astres

◄——— Image sans référent plausible   P. Eluard, *Capitale de la douleur*, Gallimard, 1926

▉▉▉▉ Fonctionnement de l'image surréaliste

☐ Le degré d'arbitraire le plus élevé. C'est ce que préconise A. Breton. La réalité de l'image surréaliste doit être seulement psychique, loin de toute isotopie (secteur de la réalité). En fait, l'arbitraire n'est jamais total. De plus, la syntaxe est respectée.

☐ Une image à prendre à la lettre. Selon les Surréalistes, tenter de réduire l'image surréaliste à un trope est dérisoire. Mieux vaut écouter en elle les pulsions inconscientes de l'auteur, ses désirs symboliquement révélés. L'image surréaliste « cogne à la vitre ».

Exemple : La campagne mangeait la couleur de ta jupe odorante
Avidité et contrainte s'étaient réconciliées
Le château de Maubec s'enfonçait dans l'argile   R. Char, « Évadné »,
Fureur et mystère, Gallimard, 1948

Au lieu de chercher des métaphores, il faut admettre l'appétit de la campagne, la présence de la jupe et de l'avidité, symboles du désir, la beauté visuelle du château qui sombre.

☐ La typologie des images. De la dissociation à la déception, grande variété d'images surréalistes.

☐ La pratique de l'image. Les rêves, les sommeils hypnotiques, certains jeux surréalistes et, surtout, l'écriture automatique libèrent ces images.

▉▉▉▉ Situations d'emploi, effets des images surréalistes

☐ Une révolution poétique. À l'état brut ou insérée dans des poèmes en vers libérés, l'image surréaliste a révolutionné la poésie. Conscients du danger d'hermétisme, Eluard, Aragon, Desnos, Reverdy et Prévert en ont fait le matériau premier de textes dont les images retrouvent souvent un référent reconnaissable.

☐ Un univers merveilleux. Merveilleux et fantastique caractérisent les textes surréalistes où la « lumière de l'image » vient souvent de son irruption sauvage et de sa « beauté convulsive ».

TYPOLOGIE

Typologie des images surréalistes

Dans *le Manifeste du Surréalisme*, A. Breton a défini les différents types d'images surréalistes :

La dissociation. Le sujet et le prédicat, syntaxiquement liés, sont sémantiquement séparés. Exemple : dans la phrase de Breton, l'étrange ambassadrice n'a pas de référent et la concrétisation de la pensée ne concerne que l'auteur.

Avais-je affaire à l'ambasssadrice du
[salpêtre
Ou de la courbe blanche sur fond
noir que nous appelons pensée
A. Breton, Clair de terre, Gallimard, 1923

La déception. L'auteur semble annoncer des informations essentielles graves, mais il ne dévoile qu'un fait dérisoire. Le procédé a été utilisé par J. Prévert :

Le dompteur a mis sa tête
dans la gueule du lion
moi
j'ai mis seulement deux doigts
dans le gosier du Beau Monde
J. Prévert, « Pour rire en société », Spectacle,
Gallimard, 1949

La comparaison surréelle. Le procédé est largement usité. Exemple : Le marteau est blond comme un carrosse.

L'image hallucinatoire. Elle substitue à un terme attendu un terme insolite sans rapport avec le premier :

Un coq de nuit dans les maïs par maintes pistes de renards descend au lac, et le vent d'iode ouvre mes os à la semence.
J.-C. Renard, Incantation du temps, Éd. du Seuil, 1962

L'image humoristique. Absurde et cocasse, elle déclenche le rire.

Un beau jour il voulut descendre du
[buffet en marche
mais il descendit à contre voie
et fut écrasé par l'armoire à glace
J. Prévert, « Le fils du grand réseau », Spectacle,
Gallimard, 1923

Exercice 1

1. Quelles images sont réductibles à des tropes ? Indiquez-en le terme remplacé.
2. Repérez et classez les images surréalistes.

Tu te lèves l'eau se déplie
Tu te couches l'eau s'épanouit

Tu es l'eau détournée de ses abîmes
Tu es la terre qui prend racine
Et sur laquelle tout s'établit

Tu fais des bulles de silence dans le
[désert des bruits
Tu chantes des hymnes nocturnes sur
[les cordes de l'arc-en-ciel
Tu es partout tu abolis toutes les routes

Tu sacrifies le temps
À l'éternelle jeunesse de la flamme exacte
Qui voile la nature en la reproduisant

Femme tu mets au monde un corps
[toujours pareil
Le tien

Tu es la ressemblance.
P. Eluard, Facile, Gallimard, 1939

Exercice 2

1. Essayez d'écrire quelques lignes en écriture automatique
2. Classez ensuite les images obtenues
3. À partir de ce matériau, écrivez un petit poème en vers libérés.

L'écriture automatique

Pour explorer l'inconscient, les Surréalistes ont pratiqué l'écriture automatique définie comme la « dictée de la pensée, en l'absence de tout contrôle exercé par la raison, en dehors de toute préoccupation esthétique ou morale ».

Il faut écrire rapidement, au fil de la plume, sans sujet préconçu. Un défilé d'images issues du subconscient s'impose vite à « l'auteur ».

Exemple : Lorsque le Centaure Flamand eut demandé aux anges de ranimer l'incendie, la marmite de l'avoine maintint ses défenses concertées…

LANGUE ET STYLE

MÉTAPLASMES

MÉTRIQUE

CHOIX DES MOTS

COMBINAISON DE MOTS

TYPOLOGIE DE TEXTES

Phrases simples et phrases composées

Les phrases offrent de multiples possibilités d'expression. On peut trouver des assemblages originaux et réaliser des expansions de termes : le style naît de ces potentialités.

La phrase simple

☐ La phrase simple, en français, obéit théoriquement à la structure suivante :

Groupe sujet + verbe + groupe complément
(ou attribut, ou adverbe)

Le verbe est l'élément moteur : sujet et complément s'y accrochent. Exemple : Il s'était endormi sur la falaise.
☐ Variété des phrases simples. Les phrases simples n'obéissent pas forcément à la structure rigide ci-dessus. Des inversions de mots et des réductions sont possibles, d'où les potentialités stylistiques.

L'expansion de la phrase simple

Les termes de la phrase simple (sujet, verbe, complément, attribut) peuvent être enrichis de trois manières.

Addition	On enrichit un terme en ajoutant des épithètes, des appositions, des adverbes. Exemple : La petite maison, *triste et sombre,* était construite au bord du canal. ↘ addition d'épithètes
Emboîtement	L'adjonction d'un complément de nom crée un emboîtement. Exemple : La petite maison *du passeur* émergeait des roseaux. ↘ emboîtement
Dédoublement	Chaque terme peut se dédoubler en plusieurs branches. Exemple : *Le ciel dégagé, la douceur de l'air, les premiers bourgeons* annonçaient le printemps. ↖ dédoublement du sujet = 3 sujets

La phrase composée

La phrase composée est un assemblage de phrases simples, juxtaposées ou coordonnées, qui deviennent des propositions. Chaque proposition peut être enrichie, tout comme une phrase simple.
Exemple : Il déploie un ample mouchoir / et se mouche avec grand bruit / ; il crache fort loin /, et il éternue fort haut.   La Bruyère, *Les Caractères*

Effets et situations d'emploi

La variété des phrases simples et des phrases composées, leur alternance dans un texte, leurs expansions constituent des virtualités stylistiques, utilisées aussi bien dans les maximes, les titres de presse que dans la littérature.

VARIATIONS STYLISTIQUES

■ Les différents types de phrases simples

La phrase simple peut échapper à la rigidité structurelle sujet + verbe + complément.

Inversions	*Aux jardins à l'anglaise, il préfère l'ordonnance à la française* : le complément exprimé au début.
Réductions	*Agnès rêve* : réduction à deux termes. *Reviens !* = réduction à un terme.
Phrases nominales	*Immobilier : les vrais prix* = phrase dite nominale, elliptique du verbe.
Phrases compléments	*C'est beau. Avec du sable à l'infini. Comme au début du monde.*

■ Emploi et effets des phrases simples isolées

Maximes, pensées	La phrase simple se retient mieux.
Titres	Effets d'accroche, surtout si la phrase est nominale.
Slogans	La phrase simple crée vite la formule.
Légendes	Précisions courtes sur l'image : la phrase nominale convient.

■ Emploi et effets des ensembles de phrases simples et composées

L'alternance des phrases simples et composées est parfaitement normale.

Presse	Lisibilité plus grande.
Littérature	Toutes sortes d'effets, de la notation impressionniste rapide à la précision.
Théâtre	Les phrases simples conviennent (dialogues).

■ Exercice 1

Repérez les phrases simples et les phrases composées. Analysez leurs effets.

J'ai la complexion du corps libre, et le goût commun autant qu'homme du monde. La diversité des façons d'une nation à une autre ne me touche que par le plaisir de la variété. Chaque usage a sa raison. Soient des assiettes d'étain, de bois, de terre ; bouilli ou rôti ; beurre ou huile de noix ou d'olive ; chaud ou froid, tout m'est un. Montaigne, *Essais,* III

Nous arrivâmes à un restaurant surmonté d'une tour : à l'intérieur, il faisait chaud, mais il y avait une sale lumière de novembre, il y avait là de nombreuses familles bourgeoises attablées. Dorothea, les lèvres pâles, le visage rougi par le froid, ne disait rien : elle mangeait un gâteau qu'elle aimait. Elle demeurait très belle, pourtant son visage se perdait dans cette lumière, il se perdait dans le gris du ciel.
G. Bataille, *Le Bleu du Ciel,* SNE Pauvert, 1979.

■ Exercice 2

1. Rédigez un texte composé de phrases simples et de phrases composées. Certaines seront enrichies par expansion.

Laconisme et poésie

La phrase simple et réduite peut exprimer beaucoup en peu de mots. C'est le cas dans ce très court poème.

RECETTE

Prenez un toit de vieilles tuiles
Un peu après midi.

Placez tout à côté
Un tilleul déjà grand
Remué par le vent.

Mettez au-dessus d'eux
Un ciel bleu, lavé
Par des nuages blancs.

Laissez-les faire.
Regardez-les.   E. Guillevic, *Avec,*
Gallimard, 1966

LANGUE ET STYLE

MÉTAPLASMES

MÉTRIQUE

CHOIX DES MOTS

COMBINAISON DE MOTS

TYPOLOGIE DE TEXTES

Style et phrases complexes

La phrase complexe demande au lecteur plus d'attention que les phrases simples ou composées, d'où la nécessité de la construire avec soin.

▬▬ Définition de la phrase complexe

La phrase complexe est faite d'un assemblage de phrases simples qui, dans cet ensemble, deviennent des propositions. Une ou plusieurs principales et une ou plusieurs subordonnées se succèdent.

Exemple :

| Je ne suis pas de ceux | qui disent | que leurs actions ne leur ressemblent pas. |

⤴Proposition principale ⤴Proposition sub. relative ⤴Proposition subordonnée complétive

▬▬ Fonctionnement de la phrase complexe

☐ **La principale.** La proposition principale est autonome ; on pourrait en faire une phrase simple isolée. Dans la phrase complexe, elle joue un rôle essentiel : l'information principale s'y trouve souvent. Une ou plusieurs subordonnées la complètent.

☐ **Les subordonnées.** Comme leur nom l'indique, elles ne sont pas autonomes et ont besoin du support de la principale ou de la subordonnée qu'elles complètent. Ces subordonnées, dans la phrase complexe, ont les mêmes fonctions que les groupes nominaux et les attributs dans la phrase simple. Toute phrase simple, par expansion, est transformable en phrase complexe.

☐ **Les deux types de subordonnées.** On distingue des *subordonnées parties de termes*, introduites par un pronom relatif (expansion par emboîtement) et des *subordonnées termes*, introduites par une conjonction de subordination.

Subordonnées relatives = parties de termes	Subordonnées conjonctives = subordonnées termes
Elle marchait d'un pas mesuré qui semblait aérien	– Quoique très ignorant en art, il a apprécié cette aquarelle – Il avait cru que l'avenir lui appartenait (= complétive)

▬▬ Effets et situations d'emploi

☐ **Les suites de phrases complexes.** Elles demandent une attention soutenue ou, dans le cas de la période lyrique (longue phrase, très structurée), un abandon au rythme, à la musicalité, à la modulation des sentiments. Elles conviennent aussi bien aux textes didactiques et polémiques qu'aux énoncés poétiques. La presse les adopte à condition qu'elles soient courtes, donc plus faciles à comprendre.

☐ **Les ressources de l'alternance.** Rares sont les textes composés uniquement de phrases simples (type sujet + verbe + complément), de phrases composées (assemblage de phrases simples juxtaposées ou coordonnées), ou de phrases complexes. Leur alternance introduit la variété et peut devenir un gage de style.

CHOIX DE PHRASES

■ Style et choix des phrases

■ Le choix de phrases simples, composées, ou complexes, peut dépendre de la situation de communication, du genre littéraire, du type d'écriture (style collectif, par exemple l'écriture journalistique), enfin du style personnel qui donne aux phrases leur valeur la plus impressive.

■ Un autre facteur a son importance : la longueur de la phrase. Certaines phrases simples peuvent s'allonger par expansion alors que certaines phrases composées ou complexes, réduites à deux ou trois propositions très dépouillées, paraîtront courtes.

Exemple : dans ce texte, Camus utilise successivement une phrase simple avec longue inversion du très long complément, une phrase complexe courte, une phrase simple, laconique et tragique. La phrase simple suivante, emphatique, a la longueur de la réflexion.

Tout au bout de ce long effort mesuré par l'espace sans ciel et le temps sans profondeur, le but est atteint. Sisyphe regarde alors la pierre dévaler en quelques instants vers ce monde inférieur d'où il faudra la remonter vers les sommets. Il redescend dans la plaine.

C'est pendant ce retour, cette pause, que Sisyphe m'intéresse.

A. Camus, Le Mythe de Sisyphe, Gallimard

■ Exercice 1

1. Découpez ces phrases en propositions constitutives.
2. Montrez que le style naît de l'accord entre la structure grammaticale, les idées et les connotations (sens seconds).

On ne m'a laissé passer guère que deux mois dans cette île, mais j'y aurais passé deux ans, deux siècles, et toute l'éternité, sans m'y ennuyer un moment, quoique je n'y eusse, avec ma compagne, d'autre société que celle du receveur, de sa femme et de ses domestiques, qui tous étaient à la vérité de très bonnes gens, et rien de plus ; mais c'était précisément ce qu'il me fallait. Je compte ces deux mois pour le temps le plus heureux de ma vie, et tellement heureux qu'il m'eût suffi durant toute mon existence, sans laisser naître un seul instant dans mon âme le désir d'un autre état.

J.-J. Rousseau, Rêveries du Promeneur solitaire

■ Exercice 2

Transformez cette suite de phrases simples en un texte fait de phrases variées (simples, composées, complexes). Effets à obtenir : difficultés de la tâche, atmosphère tragique.

Le chauffeur était pris dans la locomotive de l'express, sous cinquante tonnes de houille et d'acier. Il était broyé par le milieu du corps. Il était tout brûlé. Il était condamné à mort. Mais il vivait encore. Il suppliait. Il voulait être achevé. Le professeur s'est glissé jusqu'à lui au prix d'efforts invraisemblables, à travers les tôles ardentes et déchiquetées. Il avait de la morphine. Il est resté auprès de l'homme plus d'une heure. Il était à plat ventre. Il était à demi cuit. Il étouffait dans l'oxyde de carbone. Il était comprimé sous les décombres. Parfois le chauffeur souffrait trop. Il lui faisait une piqûre au poignet, seule place accessible.

La phrase ininterrompue

Claude Simon, adepte du « nouveau roman » des années soixante, utilise de très longues phrases complexes qui peuvent couvrir plusieurs pages. À la limite, son récit *Histoire* se compose d'une seule phrase ! Très influencé par le cinéma qui fait se succéder des images dans un flux constant, C. Simon cherche à traduire le chaos des sensations, des sentiments et des idées.

LANGUE ET STYLE

MÉTAPLASMES

MÉTRIQUE

CHOIX DES MOTS

COMBINAISON DE MOTS

TYPOLOGIE DE TEXTES

Les déplacements

Une chaîne de phrases systématiquement construites selon la structure de base, sujet + verbe + complément, lasserait très vite le lecteur. Heureusement, la langue française admet beaucoup de déplacements de termes et l'auteur peut aussi introduire des écarts syntagmatiques.

■■■■ Les déplacements libres

Compléments circonstanciels	Tous déplaçables sauf le complément de manière. Exemple : *Malgré l'heure insolite, son visage ne trahit aucun étonnement.*
Adverbes modifiant toute une phrase	*Vraiment je pense qu'il exagère !*
Subordonnées circonstancielles	Place aussi libre que celle des compléments circonstanciels.
Adjectifs épithètes	La plupart peuvent précéder ou suivre le nom. Toutefois, les adjectifs courts le précèdent, les adjectifs de couleur, de forme, de nationalité le suivent : *Une main brune tira le rideau violet.*

■■■■ Les déplacements conditionnels

☐ Le sujet. Il suit le verbe au lieu de le précéder lorsque la phrase commence par un attribut, un complément circonstanciel ou un adverbe (*Pâle est son visage… Bientôt reviendront les hirondelles*) ; dans les interrogations (*Crois-tu y arriver ?*) ; dans les tournures impersonnelles (*Il y a un chien… Il reste des fraises…*) ; dans les phrases intercalées (*Si tu hésites, dit-elle, tu échoueras*).

☐ Le complément d'objet. Le complément d'objet direct (C.O.D.) précède normalement le complément d'objet indirect (Julie demande un stylo à Jean) mais le plus long des deux peut précéder le plus court (Julie demande à son père l'annuaire du téléphone) : le choix est esthétique.

■■■■ Les écarts de déplacement

☐ L'inversion et l'hypallage sont des écarts syntagmatiques : ils concernent en effet l'accrochage des mots dans la phrase.

☐ L'oral fournit aux dialogues (récits, théâtres, interviews, reportages) de nombreux exemples de déplacements, souvent emphatiques (*Voilà… y a un homme qui… c'est à Nevers qu'il est né*).

■■■■ Effets et situations d'emploi des déplacements

L'usage des déplacements permet d'introduire la variété, de privilégier le sens d'un mot ou d'une proposition, de hiérarchiser les informations et d'indiquer un ordre de vision. Ce sont là des occasions de style pour la littérature, la poésie, le théâtre mais aussi la presse, à laquelle ces procédés assurent une meilleure lisibilité (monotonie rompue).

DE LA NORME AUX ÉCARTS

■ L'inversion est-elle un écart ?

L'inversion est un déplacement de mot, de groupe, de proposition vers l'avant ou vers l'arrière de la phrase. Ce procédé semble normal quand il coïncide avec les règles des déplacements libres.

Par contre, certaines inversions sont des écarts syntagmatiques. Ainsi, dans ces vers, *amère* précède *douceur* et les compléments de nom précèdent le nom :

C'est l'amère douceur du baiser des
[adieux.
De l'air plus transparent le cristal est
[limpide,
Des monts vaporisés l'azur vague et
[liquide
S'y fond avec l'azur des cieux.

Lamartine, La Vigne et la Maison

■ Un écart de déplacement : l'hypallage

Définition. L'hypallage est une permutation syntaxique : on attribue à un mot ce qui, logiquement, convient à un autre.

Exemple : Articles en baisse de 30 %.

Ce sont les prix des articles qui sont en baisse, non les articles eux-mêmes.

Effets. Rapprochements inattendus, rapports métonymiques.

■ Exercice 1

1. Repérez tous les déplacements.
2. Lesquels sont libres ? Lesquels sont des écarts ?
3. Quels en sont les effets ?

Quand je passai, de Tchécoslovaquie en Pologne, la frontière, c'était un midi, l'été. La ligne idéale traversait un champ de seigle mûr, dont la blondeur était celle de la chevelure des jeunes Polonais ; il avait la douceur un peu beurrée de la Pologne dont je savais qu'au cours de l'histoire elle fut toujours blessée et plainte. J'étais avec un autre garçon expulsé comme moi par la police tchèque, mais je le perdis de vue très vite, peut-être s'égara-t-il derrière un bosquet ou voulut-il m'abandonner : il disparut. Ce champ de seigle était bordé du côté polonais par un bois dont l'orée n'était que de bouleaux immobiles.

J. Genet, Journal du voleur, Gallimard, 1949

■ Exercice 2

1. Reconstituez les phrases livrées ici en morceaux. Suivez le schéma sujet + verbe + complément, attribut ou adverbe.
2. À partir des mêmes éléments, rédigez un texte plus libre et plus varié grâce à des déplacements.

Depuis deux heures / là / l'a déposé / avec sa camionnette / sur le bord de la route / un livreur / où il venait livrer des boules de chewing-gum et des chocolats / devant la cafétéria. Il s'est laissé prendre / déjà. Une voiture / devant lui / ralentit. Sur l'épaule / son sac / il balance. Se met à courir / il / et / dix mètres plus loin / il / penaud / en plein élan / s'arrête. Tout simplement / quelqu'un / pour entrer dans le motel / freinait.

Déplacements ridicules

Lorsque les déplacements sont systématiques, ils deviennent mécaniques et ridicules, comme dans ce *Bain d'une dame romaine* (A. de Vigny) :

L'eau rose la reçoit ; puis les filles
[latines,
Sur ses bras indolents versant de
[doux parfums,
Voilent d'un jour trop vif les rayons
[importuns. [...]

Quelques-unes, brisant des
[couronnes de fleurs,
D'une hâtive main dispersent leurs
[couleurs,
Et, les jetant en pluie aux eaux de la
[fontaine,
De débris embaumés couvrent leur
[souveraine. [...]

LANGUE ET STYLE

MÉTAPLASMES

MÉTRIQUE

CHOIX DES MOTS

COMBINAISON DE MOTS

TYPOLOGIE DE TEXTES

La comparaison

> La comparaison correspond à une perception par analogie. Proche de la métaphore par ses effets, elle lui est associée dans les réseaux sémantiques et correspond à une quête de ressemblance entre les éléments du réel. Née des sens et de l'imagination, elle rafraîchit notre vision.

▬▬▬ Qu'est-ce qu'une comparaison ?

La comparaison est un écart syntagmatique par lequel on rapproche deux mots (ou deux expressions), le comparé A et le comparant B, selon un rapport de ressemblance que précise un outil de comparaison.

Exemple : *L'infortunée* hurlait ⏐comme⏐ *une démente*
        A   outil ⬆   B

▬▬▬ Fonctionnement de la comparaison

☐ Confrontation et fusion. Dans la comparaison, le comparé A et le comparant B sont toujours en présence. Il n'y a donc pas de remplacement de A par B, comme dans la métaphore ; A et B conservent leur autonomie sémantique.

☐ Les sèmes communs. La comparaison met en présence deux isotopies (c'est-à-dire deux secteurs du réel) différentes. Pour la logique de la comparaison, ces deux isotopies doivent avoir quelques sèmes (ou éléments de signification) communs.
Exemple : la comparaison « ciel pur comme de l'eau » est possible par les sèmes communs *fluide, transparence.*

☐ Le filage. Souvent une comparaison en suscite d'autres. Elles constituent une chaîne : la comparaison initiale est « filée ».

▬▬▬ Effets de la comparaison

☐ La fusion connotative. Dans la comparaison, le comparé A capte beaucoup de connotations du comparant B et vice versa.
Exemple : Le sable rouge est comme une mer sans limites
       Et qui flambe, muette, affaissée en son lit.   Leconte de Lisle, *Les Éléphants*
Le comparé A « sable rouge » porte des connotations de chaleur (rouge = couleur chaude), de plage, de désert, d'immensité. Confronté à B (« mer… son lit »), il en capte les connotations : infini, chaleur, silence, torpeur, liquidité… Bref, ce « sable rouge » est celui d'un désert infini, torride, silencieux. Connotations supplémentaires : mirages (dans le désert, on croit souvent voir la mer), nature vierge, etc.

☐ Le réel et l'imaginaire. La comparaison renouvelle les aspects du réel grâce au travail de l'imagination.

▬▬▬ Situations d'emploi de la comparaison

☐ Langue populaire : emploi courant de comparaisons usées.

☐ Littérature : descriptions et récits à caractère symbolique, poésie.

☐ Presse : usage courant dans les reportages, les articles sportifs, les titres.

☐ Textes explicatifs : comme la comparaison peut réduire l'inconnu au connu, elle intervient dans la vulgarisation scientifique, les modes d'emploi, les notices.

DOMAINES DE LA COMPARAISON

■ La diversité des outils de comparaison

Les noms : ressemblances, similitudes…
La ressemblance était frappante entre cette tête et une pomme.

Les verbes : sembler, avoir l'air…
Il y avait des… gargouilles qu'on croyait entendre japper   V. Hugo

Les adjectifs : pareil à, semblable à, tel…
Mon esprit est pareil à la tour qui succombe   Baudelaire, *Chant d'automne*

Les conjonctions et locutions conjonctives : comme, ainsi que…
Le ciel est comme un marais où l'eau claire luit…   Giono, Colline

Les prépositions : en, de…
Un nez en trompette, une tête de poisson.

■ Thème et propos dans la comparaison

■ Le thème est ce dont on parle. Dans la comparaison, c'est le comparé. Le propos est ce qu'on dit du thème. Dans la comparaison, c'est le comparant.
■ De ce point de vue thématique, la comparaison joue un rôle prédicatif (attribution de propriétés).

■ Langue populaire et comparaison

■ La langue populaire utilise d'innombrables comparaisons devenues des lieux communs : malin comme un singe, fort comme un Turc, pousser comme des champignons, le menton en galoche…
■ Plus inattendues et plus stylistiques sont les comparaisons argotiques : il est chauve comme un genou, être c… comme un balai, être saoul comme une grive ou plein comme une huître.

■ Exercice

1. Repérez les comparaisons et analysez-les en distinguant le comparé, le comparant, les outils de comparaison.
2. Quels sont les sèmes communs entre les comparés et les comparants ?
3. Montrez que ces comparaisons sont filées.

Comme une grande déesse qui préside de loin aux jeux des divinités inférieures, la princesse était restée volontairement un peu au fond sur un canapé latéral, rouge comme un rocher de corail, à côté d'une large réverbération vitreuse qui était probablement une glace et faisait penser à quelque section qu'un rayon aurait pratiquée, perpendiculaire, obscure et liquide, dans le cristal ébloui des eaux. À la fois plume et corolle, ainsi que certaines floraisons marines, une grande fleur blanche, duvetée comme une aile, descendait du front de la princesse le long d'une de ses joues dont elle suivait l'inflexion avec une souplesse coquette, amoureuse et vivante, et semblait l'enfermer à demi comme un œuf rose dans la douceur d'un nid d'alcyon.   M. Proust, *Le côté de Guermantes*, 1920

N.B. La Femme évoquée se trouve dans une « baignoire », à l'Opéra.

La comparaison hallucinée

Dans certaines comparaisons, le comparé appartient à une isotopie réelle et le comparant à une isotopie rêvée, hallucinée, sans référent. Effets : dépaysement, étrangeté.

Dans cet exemple, il y a de fortes chances pour que « le dieu du fleuve » n'ait jamais eu de référent :

Quelquefois un bison chargé d'années, fendant les flots à la nage, se vient coucher, parmi de hautes herbes, dans une île du Meschacebé. À son front orné de deux croissants, à sa barbe antique et limoneuse, vous le prendriez pour le dieu du fleuve, qui jette un œil satisfait sur la grandeur de ses ondes et la sauvage abondance de ses rives.
Chateaubriand, *Atala*, 1801

LANGUE ET STYLE

MÉTAPLASMES

MÉTRIQUE

CHOIX DES MOTS

COMBINAISON DE MOTS

TYPOLOGIE DE TEXTES

Le parallélisme

Mettre en parallèle des mots et des structures permet d'attirer l'attention sur des rapports de similitude ou de différence. Ces divers procédés de parallélisme ont leurs genres de prédilection, de la poésie aux titres de presse, des proverbes aux répliques de théâtre.

Définition du parallélisme

Le parallélisme permet de faire apparaître la correspondance entre deux éléments ou deux parties d'un énoncé grâce à des répétitions de structures syntaxiques et/ou morphologiques. On souligne ainsi leur parenté : identité, différence, opposition, égalité.

Exemple :

Parallélisme lexical

Ils aiment mieux la mort que la paix, les autres aiment mieux la mort que la guerre.

Parallélisme syntaxique — Parallélisme par opposition

Pascal, *Pensées*

Fonctionnement du parallélisme

☐ Variété des procédés. Les procédés du parallélisme sont variés, surtout si on inclut ceux de l'opposition. Ils sont souvent associés à des reprises.

☐ Reprises de morphèmes. La reprise est la répétition, non d'un mot plein, ou lexème, mais de mots sémantiquement non autonomes, les morphèmes (articles, terminaisons, conjonctions et prépositions).

Exemple : Avec nos amis de toujours, avec nos enfants d'aujourd'hui.

Reprise

☐ Reprises syntaxiques. La similitude des structures syntaxiques est liée à l'emploi des morphèmes. Elle signifie l'utilisation des mêmes types et des mêmes formes de phrases, comme dans les exemples ci-dessus.

Effets du parallélisme

Le parallélisme crée des effets très facilement indentifiables : régularité, symétrisation, naissance d'un rythme binaire (et parfois ternaire). Il facilite la compréhension et la lisibilité du message.

Situations d'emploi des parallélismes

☐ Littérature : textes didactiques, informatifs, argumentatifs, théâtre. Le parallélisme s'y établit aussi entre paragraphes, entre chapitres... Certains textes comiques utilisent le parallélisme pour des effets mécaniques qui suscitent le rire.

☐ Poésie : le parallélisme est l'essence même de la versification, au niveau phonique (rimes, césures, mètres réguliers), syntaxique (système de répétitions, de reprises, sériations) et sémantique.

☐ Maximes et proverbes : le caractère mnémotechnique du parallélisme le fait retenir : Tel père, tel fils.

■ Procédés du parallélisme

La coordination. Procédé très simple de symétrisation et d'union d'éléments semblables.

Le docteur oublia sa gravité et le malade son angoisse.

La juxtaposition. L'absence de conjonctions de coordination renforce la symétrisation.

C'est dimanche à Tressac. Toutes les cloches sonnent. Les premiers volets s'ouvrent, Vincent est déjà parti...

La sériation. Les éléments (mots, expressions, segments de texte) sont classés par séries de 2, de 3 et plus.

La pluie nous a |débués et lavés|
Et le soleil |desséchés et noircis|

F. Villon, Ballade des pendus

Écarts d'oppositions : antithèses, chiasmes, alternatives ou chassés-croisés sont aussi des parallélismes.

La juxtaposition syntaxique. On rapproche deux mots sans exprimer grammaticalement leur rapport. Cette contraction donne des effets de parallélisme et d'automatisme.

Pas vu pas pris... Donnant, donnant...

■ Le parallélisme au théâtre

■ Le théâtre classique avait vocation au parallélisme puisqu'il utilisait souvent la versification. Ce parallélisme phonique et rythmique a facilité d'autres procédés, par exemple la juxtaposition symétrique.

J'ai tendresse pour toi, j'ai passion pour elle Corneille, Nicomède

■ La stichomythie donne à chaque réplique la longueur d'un vers. Ce parallélisme est souvent accru par le dialogue « du tac au tac ».

Prusias : Me vois-tu renoncer pour elle au diadème ?
Nicomède : Me voyez-vous pour l'autre y renoncer moi-même ? Corneille, Nicomède

■ Exercice 1

1. Repérez et classez les différents procédés de parallélisme.
2. Comment se justifient-ils ?

Les uns criaient : « Sainte Barbe ! », les autres « saint Georges ! », les autres « sainte Nitouche ! », les autres « Notre-Dame de Cunault, de Lorette, de Bonnes Nouvelles... ». Les uns se vouaient à saint Jacques ; les autres au saint suaire de Chambéry... Les uns mouraient sans parler, les autres parlaient sans mourir, les uns mouraient en parlant, les autres parlaient en mourant. Rabelais, Gargantua

Ils descendaient, passaient la porte, longeaient les débits de saucisson de Lorraine, les marchands de gaufres, les cabarets en planches, les tonnelles sans verdure et en bois encore blanc où un pêle-mêle d'hommes, de femmes, d'enfants, mangeaient des pommes de terre frites, des moules et des crevettes, et ils arrivaient au premier champ, à la première herbe vivante.

E. et J. de Goncourt, Germinie Lacerteux

Métro, boulot, dodo.

■ Exercice 2

Complétez le texte en utilisant des parallélismes.

Le voyageur marche, ⬜ brune
Une ombre est ⬜, ⬜ est devant
Blancheur ⬜, lueur au levant
Ici, ⬜, ⬜ clair de lune
Je ne sais plus quand, ⬜ où
Maître Yvon soufflait dans son biniou

V. Hugo, Choses du soir

LANGUE ET STYLE

MÉTAPLASMES

MÉTRIQUE

CHOIX DES MOTS

COMBINAISON DE MOTS

TYPOLOGIE DE TEXTES

La répétition

Répéter, c'est redire, donc employer plusieurs fois le même élément linguistique, mot, groupe, phrase. La répétition participe à la fonction phatique du langage (faciliter la perception du message). Naturelle à l'oral, elle peut, à l'écrit, devenir un écart de style.

■■■■ Nature des répétitions

□ Nécessité de la répétition. La fatigue, la distraction du lecteur nuisent à la réception de l'énoncé. La redondance linguistique permet de vaincre ces « bruits » par ses processus de répétition implicite. Ainsi, dans la phrase « ils partiront pour Nice le mardi 4 juillet », on détecte deux marques du pluriel au lieu d'une et une répétition sous-entendue : le calendrier indique le mardi pour le 4 juillet ! La répétition de mots ou d'unités plus longues participe, très normalement, à la redondance.

□ La répétition comme écart de style. La répétition peut être une faute ou une facilité. Elle peut être aussi un écart syntagmatique (écart de combinaison des éléments de l'énoncé). À ce titre, elle crée des connotations liées au contexte et aux intentions de l'auteur. Exemple : Dans ce portrait de l'instituteur, Péguy répète des mots en variant leur environnement syntaxique et leur morphologie.

Un long pantalon noir, mais, je pense, avec un liseré violet. Le violet n'est pas seulement la couleur des évêques, il est aussi la couleur de l'enseignement primaire. Un gilet noir. Une longue redingote noire, bien droite, bien tombante, mais deux croisements de palmes violettes aux revers. Une casquette plate, noire, mais un croisement de palmes violettes au-dessus du front. Ch. Péguy, *L'Argent*, Gallimard, 1913

■■■■ Les écarts usuels de répétitions

□ L'anaphore. On répète des mots (lexèmes + morphèmes, ou mots-outils) en début de phrases ou de propositions successives.

□ La reprise est un cas particulier d'anaphore : on ne répète que des morphèmes.

□ L'épiphore. Répétition de mots en fin de phrases ou de propositions successives.

□ La symploque conjugue l'utilisation de l'anaphore et de l'épiphore.

□ L'anadiplose. On répète, au début d'une phrase ou d'une proposition, des mots qui terminent la phrase ou la proposition précédente.

■■■■ Effets des répétitions

Toute répétition souligne et met en valeur. Elle permet aussi d'établir des parallélismes entre mots répétés. Autre conséquence : l'apparition d'un rythme.

■■■■ Situations d'emploi des répétitions

La langue familière, surtout à l'oral, use de répétitions. Au théâtre, où se retrouvent les conditions de l'oral, elles sont fréquentes, jusqu'au ressassement comique. En poésie, la répétition s'associe aux parallélismes. Dans la presse et la publicité, répéter est un moyen de se faire écouter et de séduire.

ANAPHORE, ÉPIPHORE, SYMPLOQUE, ANADIPLOSE

■ Fonctionnement des écarts de répétition

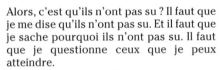

⌐——⌐phrase   ▓▓▓ répétition

Anaphore

J'ai vu des déserts, j'ai vu des vallées riantes, j'ai vu des villes sans joie.

Épiphore

Il aperçoit le veston de son ennemi, la tête glabre de son ennemi, le sourire mauvais de son ennemi.

Symploque

Alors, c'est qu'ils n'ont pas su ? Il faut que je me dise qu'ils n'ont pas su. Et il faut que je sache pourquoi ils n'ont pas su. Il faut que je questionne ceux que je peux atteindre.

J. Romains, *Les Hommes de bonne volonté*

Anadiplose

Chemin faisant, nous reverrons la petite auberge. La petite auberge, elle est toujours là...

■ Exercice 1

1. Repérez les procédés de répétition et classez-les selon leurs effets.

CHANSON DES SARDINIÈRES
Vous vivrez malheureuses
et vous aurez beaucoup d'enfants
beaucoup d'enfants
qui vivront malheureux
et qui auront beaucoup d'enfants
qui vivront malheureux
et qui auront beaucoup d'enfants
beaucoup d'enfants
qui vivront malheureux
et qui auront beaucoup d'enfants
beaucoup d'enfants
beaucoup d'enfants...
Tournez tournez
petites filles
tournez autour des fabriques
bientôt vous serez dedans
tournez tournez
filles des pêcheurs
filles des paysans. [...]

J. Prévert, *Spectacle,* Gallimard, 1949

■ Exercice 2

Rédigez un court monologue où vous utiliserez un maximum d'écarts de répétition dans un but comique ou tragique.

■ Exercice 3

Choisissez un événement marquant de la semaine puis imaginez un titrage de presse à partir de cet événement : surtitre, titre, sous-titre, chapeau de trois à quatre lignes.

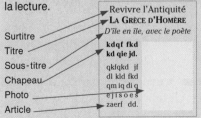

Le titrage et la répétition
L'article de presse est toujours précédé d'un circuit court de lecture qui peut comprendre un surtitre, un titre, un sous-titre et un chapeau, petit résumé de l'essentiel. Ces éléments sont redondants, pléonastiques, répétitifs : il s'agit d'accrocher et de faire comprendre, tout en facilitant la lecture.

Surtitre — Revive l'Antiquité
Titre — LA GRÈCE D'HOMÈRE
Sous-titre — D'île en île, avec le poète
Chapeau — kdqf fkd / kd qie jd.
Photo — qkfqkd jf / dl kld fkd / qm iq di q / ejisoes
Article — zaerf dd.

LANGUE ET STYLE

MÉTAPLASMES

MÉTRIQUE

CHOIX DES MOTS

COMBINAISON DE MOTS

TYPOLOGIE DE TEXTES

L'expansion

Par souci de précision, d'enrichissement, de variété, donc par souci de style, on peut être amené à augmenter le volume d'une phrase, simple ou complexe. C'est ce que permettent les techniques de l'expansion.

■■■■ Les termes de la phrase et l'expansion

□ La notion de terme. Les constituants de la phrase de base, du type *sujet + verbe + complément* (ou attribut, ou adverbe) sont appelés termes.

□ L'expansion des termes. Chaque terme peut être précisé, enrichi par expansion. Le terme devient alors un groupe de mots. Ainsi, dans la phrase *la voiture blanche / démarrait / avec une brutalité de panthère,* on distingue un groupe sujet, un verbe, un groupe complément de manière.

■■■■ L'expansion par addition

Chaque terme de la phrase simple ou de la proposition (phrase complexe) est enrichi par addition d'épithètes, d'appositions, d'adverbes. La phrase composée est une addition de phrases simples.

Exemple : Le gamin, très poli, avait retiré sa casquette rouge et ridicule.

Addition : une apposition   Addition : deux épithètes

■■■■ L'expansion par emboîtement

L'adjonction d'un complément de nom ou d'une proposition subordonnée relative crée une expansion par emboîtement.

Exemple : Le fils de l'épicier avait remarqué ce personnage qui s'attardait à l'étalage.   Ct de nom emboîté   Relative emboîtée

■■■■ L'expansion par dédoublement

On peut distinguer deux cas :

□ Dans la phrase simple. Chaque terme peut se dédoubler en plusieurs branches.
Exemple : 3 branches sujets, 2 branches C.O.D.

Sujet 1	Le ciel dégagé,		un printemps précoce	COD 1
Sujet 2	la tiédeur de midi,	annonçaient	et des joies rustiques	COD 2
Sujet 3	les premières feuilles			

□ Dans la phrase complexe, chaque subordonnée complétive ou circonstancielle joue un rôle de terme. L'emploi de plusieurs circonstancielles équivaut donc à une expansion par dédoublement.

■■■■ L'expansion par écarts de style

□ Un certain nombre d'écarts syntagmatiques (écarts dans la combinaison des mots et des groupes) participent à l'expansion d'une phrase : accumulations et gradations, répétitions, périphrases, parenthèses, etc.

LE VOLUME ET LE STYLE

■ Expansion et vision analytique

Une succession de phrases simples enrichies ou bien une phrase composée (= suite de propositions juxtaposées ou coordonnées) elle aussi enrichie donnent à un texte un caractère plutôt fragmentaire et analytique, voire impressionniste. On y passe d'une information à une autre, selon une progression du regard ou de la conscience.

Je feignis d'avoir la colique ; je poussai d'abord des plaintes et des gémissements ; ensuite, élevant la voix, je jetai de grands cris. Les voleurs se réveillent et sont bientôt auprès de moi. Ils me demandent ce qui m'oblige à crier ainsi. Je répondis que j'avais une colique horrible, et, pour mieux le leur persuader, je me mis à grincer les dents, à faire des grimaces et des contorsions effroyables, et à m'agiter d'une étrange façon.

Le Sage, Gil Blas

■ Expansion et vision synthétique

Les phrases complexes sont caractérisées davantage par les emboîtements, (relatives) et les dédoublements (les nombreuses subordonnées conjonctives) que par les additions. Or, l'emboîtement et les dédoublements ont une faible valeur diachronique (diachronie = succession dans le temps). D'où leur caractère plus synchrone et plus synthétique.

Mais à ce nom de Guermantes, je vis au milieu des yeux bleus de notre ami se ficher une petite encoche brune comme s'ils venaient d'être percés d'une pointe invisible, tandis que le reste de la prunelle réagissait en sécrétant des flots d'azur. Le cerne de sa paupière noircit, s'abaissa. Et sa bouche marquée d'un pli amer se resaisissant plus vite sourit, tandis que le regard restait douloureux, comme celui d'un beau martyr dont le corps est hérissé de flèches.

M. Proust, Du côté de chez Swann

Dans ces phrases complexes, les notations sont synchrones, à valeur synthétique. La phrase composée « le cerne… s'abaissa » introduit un mouvement.

■ Exercice

1. Repérez et classez les expansions dans chaque phrase.
2. Quels effets sont produits ?

La poésie et le progrès sont deux ambitieux qui se haïssent d'une haine instinctive, et, quand ils se rencontrent dans le même chemin, il faut que l'un des deux serve l'autre. S'il est permis à la photographie de suppléer l'art dans quelques-unes de ses fonctions, elle l'aura bientôt supplanté ou corrompu tout à fait, grâce à l'alliance naturelle qu'elle trouvera dans la sottise de la multitude. Il faut donc qu'elle rentre dans son véritable devoir, qui est d'être la servante des sciences et des arts, mais la très humble servante des sciences et des arts, comme l'imprimerie et la sténographie, qui n'ont ni créé ni suppléé la littérature.

Ch. Baudelaire, Salon de 1859

L'expansion poétique

La poésie est par excellence le domaine de l'expansion. En effet, la phrase la plus longue et la plus complexe s'y trouve visuellement et rythmiquement découpée par le vers, le distique ou la strophe. Ainsi, dans L'Occident, de Lamartine, la première phrase couvre quatre strophes et… treize propositions mais l'auteur n'utilise que quatre relatives et aucune conjonctive. Chaque strophe correspond à un thème précis : mer, coucher du soleil, soir sur la mer, émoi du poète. Quatre comparaisons et de nombreuses épithètes participent à l'expansion.

LANGUE ET STYLE

MÉTAPLASMES

MÉTRIQUE

CHOIX DES MOTS

COMBINAISON DE MOTS

TYPOLOGIE DE TEXTES

Les écarts d'expansion

L'expansion, c'est-à-dire l'enrichissement de la phrase, se fait selon les techniques normatives de l'addition, de l'emboîtement et du dédoublement mais aussi par des écarts syntagmatiques fondés sur l'accumulation, l'enchâssement et le retardement.

■■■■ L'accumulation
□ Définition. L'accumulation est une suite de mots ou de groupes de mots de même nature grammaticale. C'est donc un écart syntagmatique (combinaison des mots). Exemple : Il bondit de son fauteuil, saisit une main, caresse un bras, confie une anecdote, propose à boire à tout le monde et devient le meilleur ami de chacun.
□ Effets et situations d'emploi. Les accumulations donnent facilement l'impression d'une pléthore d'objets, d'actions, de propriétés : la quantité étourdit presque le lecteur ! Elle est donc fréquemment au service de l'hypotypose, cet effort pour transformer en tableaux vivants les choses, les êtres, les paysages. Dans tous les cas, elle amplifie, apporte des connotations de variété et d'abondance.

■■■■ L'énumération
Très proche de l'accumulation, dont elle se différencie parce qu'elle a une fin nette, l'énumération classe et inventorie. À ce titre, elle n'est pas forcément un écart et les textes scientifiques, techniques, didactiques en usent. Un système de ponctuation particulier (deux points : tirets— points– virgules ;) la souligne. En littérature et en poésie, elle est perçue comme écart dès qu'elle devient ludique, invraisemblable, fantastique. Ses effets sont similaires à ceux de l'accumulation.

Exemple 1 : Pour réaliser ce travail, vous prendrez une bêche, une pelle, un râteau, une sarclette, un cordeau.   Énumération fonctionnelle, sans style

Exemple 2 : Lever, tramway, quatre heures de bureau ou d'usine, repas, tramway, quatre heures de travail, repas (sommeil) et lundi mardi mercredi jeudi vendredi et samedi sur le même rythme, cette route se suit aisément la plupart du temps.
     Énumération impressive et répétition   A. Camus, *Le Mythe de Sisyphe*, Gallimard, 1942

■■■■ La gradation
□ Définition. La gradation est une accumulation selon une progression : elle est vectorisée. Lorsque chaque mot apporte un complément de signification au précédent, la gradation est ascendante. Dans le cas inverse, elle est descendante.
Exemple 1 : Gradation ascendante.
Ils montaient, graves, menaçants, imperturbables… V. Hugo
Exemple 2 : Je serrais et la vie se fatiguait en elle (la vipère), s'amollissait, se laissait tomber au bout de mon poing. H. Bazin, *Vipère au poing*, Grasset, 1948
□ Effets des gradations. Amplification, allongement, attente du mot le plus fort ou le plus faible, idée d'un ordre, crescendo ou decrescendo.
□ Situations d'emploi. Textes oratoires, sermons, poésie épique ou lyrique.

PARENTHÈSE ET EXPANSION

■ La parenthèse

Définition et fonctionnement. La paren-thèse est un mot, un ensemble de mots, une phrase insérés dans une phrase d'un texte. Elle interrompt donc momentanément la poursuite de cette phrase avec laquelle elle n'entretient pas forcément un rapport logique : cer-taines parenthèses sont autonomes. La parenthèse utilise une ponctuation par-ticulière : les parenthèses ( ) ou les tirets—. Elle peut apparaître aussi entre virgules ou constituer une phrase.

L'enfant — car une haine aussi tenace qui, pour assouvir sa vengeance, pousse à tra-vestir la vie jusqu'à se défigurer ne peut tirer sa force que des marécages de l'enfance, peuplés de chimères mons-trueuses —, l'enfant donc s'était emparée de cette ombre.

P. Combescot, *Les Filles du Calvaire,* Grasset, 1991

Effets. La parenthèse a un effet de « collage ». Tantôt elle distancie le texte, feint de l'oublier et tantôt, le complétant, elle l'allonge.

Situations d'emploi. Les textes didac-tiques ou scientifiques utilisent la paren-thèse pour les définitions, les explica-tions, les renvois.
En littérature, elle est utilisée comme écart syntagmatique. Proust en a fré-quemment usé et des romanciers comme Claude Simon l'ont systématisée.

■ Exercice 1

1. Repérez et classez les écarts d'expansion.
2. Quels effets provoquent-ils ?

Diphile commence par un oiseau et finit par mille : sa maison n'en est pas égayée, mais empestée. La cour, la salle, l'escalier, le vestibule, les chambres, le cabinet, tout est volière ; ce n'est plus un ramage, c'est un vacarme.[…] Il retrouve ses oiseaux dans son sommeil : lui-même il est oiseau, il est huppé, il gazouille, il perche ; il rêve la nuit qu'il mue ou qu'il couve.

La Bruyère, *Les Caractères*

■ Exercice 2

Essayez de compléter les textes sui-vants en appliquant les mêmes procé-dés que l'auteur.

« Néanmoins, la vie sera élucidée.
Car à vingt ans tu optes pour
l'enthousiasme, tu vois rouge, tu ardes,
tu arques, tu astres, tu happes […]
À quarante ans […]
À soixante ans […]

H. Pichette, *Les Épiphanies,*
Mercure de France, 1947

La scène se passe dans un restaurant.

Sur son plateau il avait pris : une assiette de tomates coupées longue énumération.

Besson essaya d'avaler les tomates et de couper le poulet. Mais la nourriture était hostile gradation. L'eau coulait du verre sur le menton, comme comparaison le poulet bougeait. Tout était répugnant accumulation.

J.-M. G. Le Clézio, *Le Déluge,* Gallimard, 1966

La périphrase
Le remplacement d'un mot par plusieurs autres qui le définissent, l'explicitent, est une périphrase. Au sens propre, elle est une désignation de nature descriptive, comme dans cette périphrase lamarti-nienne de la vie : « Ce calice mêlé de nectar et de fiel ». Une autre catégorie, usuelle, est la pronomination, désignation de nature mythique : L'homme du 18 juin (= de Gaulle), le géant des collines (= le chêne, selon Lamartine).
Dans les deux cas, la périphrase insiste sur la caractérisation, les qualités des objets ou des êtres. Elle peut englober une métaphore, une métonymie, person-nifier, etc.

LANGUE ET STYLE

MÉTAPLASMES

MÉTRIQUE

CHOIX DES MOTS

COMBINAISON DE MOTS

TYPOLOGIE DE TEXTES

Les suppressions

> Dans la chaîne parlée ou dans la phrase, l'absence de certains mots ne gêne pas forcément la compréhension. L'ellipse, dans ses différentes formes, exploite cette potentialité. Au-delà de la phrase, elle devient une structure du texte.

▬▬▬ L'ellipse

☐ Définition. Toute suppression d'un ou de plusieurs mots dans une phrase est une ellipse. Les mots qui subsistent permettent de retrouver ceux qui manquent. Exemple : Le voilier est reparti. Calme et léger froissement des voiles. Un univers de vagues, de ciel et de sel. Sommes tous souriants. Avec nos barbes de trois jours !

☐ Fonctionnement. Dans les phrases ci-dessus apparaissent l'ellipse du verbe (phrases 2 et 3, dites nominales) et celle du sujet (phrase 4). La phrase 5, elliptique du sujet et du verbe, est un complément-phrase. Comme la norme linguistique actuelle admet de plus en plus de telles phrases, la plupart des ellipses sont perçues plus comme procédés d'écriture ou de style que comme des écarts.

L'ellipse *situationnelle*, absolument conforme à la norme, n'est pas perçue comme ellipse. Elle permet de supprimer de fastidieuses redites.

Exemple : Vous aimez le cirque ? — Beaucoup.

☐ Effets de l'ellipse. L'ellipse raccourcit et allège l'énoncé. Elle interpelle, force à imaginer les mots disparus, met en valeur la force connotative de ceux qui restent exprimés.

☐ Situations d'emploi : notes de voyage à caractère impressionniste, récits et descriptions, poésie (surtout en vers libérés), titres de presse et slogans publicitaires ou politiques (Rome : le juge frappe fort… Antaeus pour homme…). Au-delà de la phrase, l'ellipse peut devenir une véritable structure.

▬▬▬ La parataxe et l'asyndète

☐ La parataxe, variété d'ellipse, supprime les termes de liaison entre mots, groupes, propositions.

Exemples : Au niveau prix, il est imbattable… Tu passeras demain ? J'espère.
　　　　　　　└──ellipse de « des »　　ellipse de « du moins, je l' »──┘

☐ L'asyndète, variété de parataxe, supprime les conjonctions de coordination ou de subordination entre les propositions qui deviennent donc juxtaposées.

Exemples : Il est cynique, il réussira…

Ils n'ont pas vu la voiture. Elle était dans l'ombre.

☐ Effets de l'asyndète et de la parataxe. Le manque de liaisons est perçu comme insolite. Le texte devient discontinu et les rapports entre les propositions ou les groupes semblent se dérober, ce qui incite à les imaginer et à découvrir plusieurs solutions.

☐ Situations d'emploi : les mêmes que celles de l'ellipse. L'art classique les a fort prisées (Saint-Simon). La presse et certains romanciers (M. Duras) en usent.

LES ELLIPSES ET LE STYLE

■ Écritures elliptiques

L'ellipse permet de caractériser le style d'un auteur ou d'un courant. L'écriture classique, faite de retenue, de discrétion, de respect des bienséances, a honoré la litote et l'ellipse.

Tous les corps, le firmament, les étoiles, la terre et ses royaumes, ne valent pas le moindre des esprits ; car il connaît tout cela, et soi ; et les corps, rien.

Pascal, *Pensées*

De nos jours, l'écriture journalistique manie couramment l'ellipse, jusqu'à l'abus des compléments-phrases ou des mots-phrases. En fait, il s'agit de « ponctuer court » : ces bribes assemblées constituent des phrases. Ces fausses ellipses, ces phrases brèves éveillent mieux l'attention, facilitent la lecture.

Il y a un lieu qui vous est cher. Un simple cabanon. Ou un petit bois. Peut-être un simple jardin. Si vous nous en parliez ? Nous publierons votre texte.

■ Styles elliptiques

Lorsque l'ellipse est justifiée par le genre, le tempérament littéraire d'un auteur, sa recherche d'une expression très dépouillée, elle donne naissance à un style personnel. Tel est le cas chez Saint-Simon et La Bruyère, Jules Renard, Marguerite Duras, E.-M. Cioran, ou, au théâtre, S. Beckett.

Le fleuve coule sourdement, il ne fait aucun bruit, le sang dans le corps. Pas de vent au-dehors de l'eau. Le moteur du bac, le seul bruit de la scène, celui d'un vieux moteur déglingué aux bielles coulées. De temps en temps, par rafales légères, des bruits de voix. Et puis les aboiements des chiens, ils viennent de partout, de derrière la brume, de tous les villages.

M. Duras, *L'Amant,* Éd. de Minuit, 1984.

■ Exercice 1

1. Repérez les ellipses et les asyndètes.
2. Quels effets produisent-elles ?

La peur d'être déplacé, d'avoir honte. Un jour, il est monté par erreur en première avec un billet de seconde. Le contrôleur lui a fait payer le supplément. Autre souvenir de honte : chez le notaire, il a dû écrire le premier « lu et approuvé », il ne savait pas comment orthographier, il a choisi « à prouver ». Gêne, obsession de cette faute, sur la route du retour.

A. Ernaux, *La Place,* Gallimard, 1983

■ Exercice 2

Transformez ce texte journalistique bavard en un texte elliptique, de façon à marquer le tragique de la situation.

Sur la route qui serpente en suivant le cours ondulant et fantaisiste de la Vézère, les très nombreux touristes flânent et constatent que le paysage est conforme à la description du guide touristique. Il est beau et même grandiose. Comme ils sont seulement de passage, les petits ou les grands drames de la vallée ne peuvent les concerner. Malheureusement, on vient d'apprendre qu'à la fameuse papeterie de X, sur 1 200 emplois, 300 vont être supprimés.

L'ellipse comme structure

■ En littérature et au théâtre, on ne peut jamais tout dire et l'ellipse de certains événements, de certaines scènes, de certains discours est obligatoire. Ces ellipses, de nature sémantique et non plus syntaxique, peuvent devenir une véritable structure, ou système d'organisation. Ainsi, l'ellipse des scènes jugées scabreuses au nom du respect de la bienséance rend le théâtre classique très elliptique.

■ Le cinéma est devenu un art lorsqu'il a utilisé l'ellipse. C'est elle qui a conduit les réalisateurs à s'intéresser au montage des plans qui subsistent.

LANGUE ET STYLE

MÉTAPLASMES

MÉTRIQUE

CHOIX DES MOTS

COMBINAISON DE MOTS

TYPOLOGIE DE TEXTES

Les oppositions

> **Opposer est une opération intellectuelle fondamentale, applicable à la connaissance du réel. Trois écarts de style, l'antithèse, le chiasme et l'oxymore mettent les oppositions en valeur. Mais les écrivains peuvent aussi recourir à des procédés lexicaux et syntaxiques normatifs.**

■■■■ L'antithèse

☐ Définition. L'antithèse oppose des mots, des phrases ou des ensembles plus vastes dont le sens est inverse ou le devient.

Exemples : Niort qui rit, Poitiers qui pleure (titre d'un article sportif)

Antithèse par emploi d'antonymes

Le mois de mai sans la France Ce n'est pas le mois de mai   Victor Hugo

Antithèse par la négation et la restriction

☐ Effets. L'antithèse met en parallèle pour mieux opposer. Elle systématise, met en évidence, valorise l'un des éléments ou les deux, selon le contexte. Autres effets : dramatisation, concision tragique, comique de situation.

☐ Situations d'emploi. D'un usage systématique dans le mélodrame (bons / méchants, beaux / affreux), la publicité et le discours politique, très manichéens. Elle caractérise la vision de certains écrivains comme Hugo ou Aragon.

■■■■ Le chiasme

☐ Définition. Le chiasme oppose deux énoncés syntaxiquement équivalents mais dont on inverse l'ordre des termes : AB BA . C'est un cas particulier d'antithèse.

AB

Exemple : Tunisie : le cœur de la Méditerranée. Tunisie : la Méditerranée du cœur
(slogan publicitaire).   BA

Le chiasme n'oppose pas forcément les mêmes mots. Ainsi ce vers de Vigny dans *Moïse* est un chiasme : « Ces obliques rayons, ces flammes éclatantes ».

☐ Effets et emplois. Le chiasme accroît les effets d'antithèse et de symétrisation, attire l'attention, se retient facilement, crée un rythme. D'où son utilisation dans la poésie dramatique ou lyrique, les titres de presse, les slogans.

■■■■ L'alliance de mots, ou oxymore

☐ Définition. L'oxymore réunit deux mots ou deux expressions de nature antithétique pour les rendre identiques. Elle est donc la résolution d'une antithèse.

Exemple : Printemps après printemps, de belles fiancées
Suivirent de chers ravisseurs… Lamartine, *La Vigne et la Maison*

☐ Effets et emplois. L'oxymore révèle une vision dialectique : les contraires qui, par définition, appartiennent à des isotopies (secteurs du réel) différentes, sont unis dans une nouvelle isotopie. La poésie, la presse (mais dans une perspective ludique souvent), les textes d'humour utilisent cette technique de… clair-obscur.

DOMAINES DE L'ANTITHÈSE

■ Oppositions normatives

La langue met à notre disposition plusieurs possibilités normatives d'exprimer les oppositions.

Les antonymes. Ces couples de contraires (*autoriser/interdire, connu/inconnu*) expriment l'opposition.

Les compléments circonstanciels d'opposition. Introduits par une préposition, ils sont de nature antithétique : *Malgré sa fatigue il est reparti.*

Les subordonnées circonstancielles d'opposition. Les conjonctions ou locutions qui les introduisent sont déjà porteuses de l'opposition : *Même si c'était vrai, je ne le croirais pas.*

L'opposition par coordination ou juxtaposition. On choisit des segments ou des phrases de signification contraire : *Il parle, mais pour ne rien dire ; il est riche, mange chichement, il est avare.*

■ Variations antithétiques

L'alternative. On force à choisir entre deux solutions parfaitement antithétiques. Exemple : La bourse ou la vie !...
L'alternative peut constituer un argument et sa connotation de choix impératif la fait choisir par la publicité.
Le chassé-croisé. On permute deux termes de même fonction entre deux énoncés mis en parallèle. Effets : l'étrangeté, le comique. Exemples : Un fromage de nymphe et un cou de brebis...

■ Exercice

1. Repérez les différents types d'oppositions et classez-les
2. Quels sont leurs effets ?

De quoi qu'en ta faveur mon amour [m'entretienne,
Ma générosité doit répondre à la tienne :
Tu t'es, en m'offensant, montré digne de [moi ;
Je me dois, par ta mort, montrer digne de [toi.

Corneille, *Le Cid,* tirade de Chimène

Quelle chimère est-ce donc que l'homme ? Quelle nouveauté, quel monstre, quel chaos, quel sujet de contradiction, quel prodige ! Juge de toutes choses, imbécile ver de terre ; dépositaire du vrai, cloaque d'incertitude et d'erreur ; gloire et rebut de l'univers. Pascal, *Pensées*

On ne naît pas en naissant. On naît quelques années plus tard, quand on prend conscience d'être. Je suis née vers l'âge de cinq ans, si je m'en souviens bien. Et naître à cet âge c'est naître trop tard, car à cet âge on a déjà un passé, l'âme a forme. À peine un papillon est-il né qu'il essaie ses ailes. [...]
Hélas ! je n'étais pas un papillon. J'étais un buffle.

R. Ducharme, *L'Avalée des avalés,* Gallimard, 1966

L'antithèse comme structure

■ L'antithèse peut opposer systématiquement, deux à deux, les mots, les propositions, les phrases d'un paragraphe ou d'un texte. Elle peut également opposer des paragraphes, des chapitres, des ensembles de paragraphes ou de chapitres. Dans tous ces cas, elle est devenue une structure (= un système d'organisation).

■ La structure antithétique est inhérente au conte et aux mélodrames (psychologie des personnages). Elle est fréquente dans les exposés didactiques, les textes argumentatifs, la dissertation, la mise en page. En poésie, elle rend compte des grandes oppositions du cosmos et de la nature humaine : vie/mort, été/hiver, jour/nuit, jeunesse/vieillesse, etc.

■ Pour ses capacités pédagogiques, la publicité l'exploite dans ses slogans et la presse dans ses titres.

LANGUE ET STYLE

MÉTAPLASMES

MÉTRIQUE

CHOIX DES MOTS

COMBINAISON DE MOTS

TYPOLOGIE DE TEXTES

Les ruptures

Substituer à l'ordre normal de la phrase celui de la sensibilité ou de l'imagination, telle est la fin de beaucoup d'écarts dans la construction grammaticale, des interruptions aux ruptures de construction. Les ruptures sémantiques jouent un rôle similaire.

▬▬ Les interruptions

☐ Définition et fonctionnement. L'interruption consiste à laisser une phrase inachevée et à en commencer une autre, sur une autre idée. L'interruption se justifie de deux manières : un événement interrompt une conversation ou un monologue ou bien une forte émotion provoque l'arrêt, quelquefois au milieu d'un mot.

Exemples : Rien à faire. Je lui… Mais… c'est lui qui arrive
         Événement extérieur⎯⎯⎯⎯⎯⎯⎯↑

         Eh ! vous le saviez, morbleu ! et je parie que ces trois coups
         frappés à la porte… Quel homme êtes-vous ?
              ↑⎯⎯ Forte émotion

☐ Effets et emplois. Les effets de l'interruption dépendent du contexte. Elle est utilisée au théâtre et dans les conversations rapportées, par imitation de l'oral.

▬▬ La syllepse et l'anacoluthe

☐ La syllepse. C'est une rupture de la construction grammaticale. L'accord se fait par le sens. ⎽⎯⎯Viendront

Exemple : Demain viendra l'orage, et le soir, et la nuit (Victor Hugo)

☐ L'anacoluthe : syllepse obtenue par un changement brusque de sujet.

Exemple : Continuant à pleurer, (il) a fallu lui faire une autre piqûre
              On attend un pronom personnel sujet
          de « continuant » et d'un verbe principal

☐ Effets et emplois. Syllepses et anacoluthes introduisent à l'écrit la syntaxe de l'oral. Utilisation fréquente dans la presse, au théâtre, en poésie.

▬▬ Les translations

☐ Définition. La translation est le changement de catégorie grammaticale d'un mot : un adjectif devient un substantif, un substantif un verbe, un adjectif un adverbe. Exemples : Il est très fourmi (= avare), elle conduit sec (= sèchement, rapidement), ceux qui tricolorent (Prévert) , elle a un côté Marie-Chantal.

☐ Effets et usages. Inattendus, ces écarts ont des connotations poétiques, ludiques ou modernistes. Emploi fréquent en poésie, dans la presse et la publicité.

▬▬ Les ruptures sémantiques

Indépendantes de la syntaxe, elles concernent la signification. Les plus connues sont l'hypallage (page 87), la dissociation, le télescopage, le zeugma, le coq-à-l'âne…

RUPTURES ET IMAGES

■ Techniques de rupture sémantique

La dissociation. Le thème (= ce dont on parle) et le propos (= ce qu'on en dit) sont sémantiquement incompatibles : ils se réfèrent à des isotopies (= secteurs du réel) sans relations. Exemple : Le portail pédale à l'air libre. Beaucoup d'images surréalistes sont des dissociations.

Le télescopage. Sorte de syllepse sémantique : on utilise la polysémie d'un mot (plusieurs sens possibles) pour contracter deux phrases en une seule. Exemple : L'enfant ne comprend pas un piètre-mot à toutes ses homélies-mélo (= homélies + méli-mélo + mélodramatiques). Effets d'humour.

Le zeugma. (grec *dzeugma* = lien, attelage). Il consiste à utiliser la polysémie d'un mot pour y « atteler » deux autres mots ou expressions correspondant à deux sens du mot déclencheur. Exemple : Il a embrassé ma sœur et la profession de teinturier.
En français, le *zeugma* est toujours comique. Certains auteurs appellent zeugma un écart du type « Élise a pris une menthe, Jules et Jim un pastis, et nous une eau minérale ». En fait, c'est une syllepse.

L'inconséquence. On relie deux idées, se référant à des isotopies très éloignées. Exemple : Il a mis la tête dans l'encrier et aboyé à la lune.
L'inconséquence apparaît fréquemment dans les textes surréalistes, le théâtre de l'absurde, chez Prévert et Queneau.

■ Exercice 1

1. Repérez les ruptures de syntaxe et classez-les.
2. Quels sont leurs effets ?

Et, pleurés du vieillard, il grava sur leur
marbre
Ce que je viens de raconter
La Fontaine

À cinquante ans, beaucoup le tiennent pour un jeune quadragénaire

Le plus grand philosophe du monde, sur une planche plus large qu'il ne faut, s'il y a au-dessous un précipice, quoique sa raison le convainque de sa sûreté, son imagination prévaudra.
Pascal, Pensées

Le Bret. — Ah ! dans quels jolis draps...
Cyrano. — Oh ! toi ! tu vas grogner
E. Rostand, Cyrano de Bergerac

Soldats de Fontenoy, vous n'êtes pas tombés dans l'oreille d'un sourd.
J. Prévert

Il a attrapé le sucre et un rhume.

■ Exercice 2

Essayez de continuer ce poème (deux strophes) dans le même ton et en utilisant syllepses et translations.

Un jour lointain de mon passé
Mon pauvre papa trépasser.
   — Le soleil luire.

Un jour très clair : c'était l'été,
Mon premier amour se glacer.
   — Le soleil luire.
A. Clarté, « Blues »,
Les Poètes de la vie, Buchet-Chastel, 1945

Le cubisme en poésie

Au début du XXe siècle, le cinéma renouvelle la vision habituelle : c'est un art de l'ubiquité et du simultanéisme. En peinture, le cubisme présente un sujet à la fois de face et de profil, en coupe et en élévation ou n'en restitue que quelques aspects.

Les mêmes effets d'ubiquité et de syllepse apparaissent chez Apollinaire qui, dans *Zone*, évoque différentes facettes du Paris moderne, ou chez Cendrars qui, dans *La Prose du transsibérien,* mêle passé, présent, réflexions et images fulgurantes des trains et des paysages.

LANGUE ET STYLE

MÉTAPLASMES

MÉTRIQUE

CHOIX DES MOTS

COMBINAISON DE MOTS

TYPOLOGIE DE TEXTES

L'expression passionnelle

L'expression des sentiments vifs, du bouleversement affectif, de la passion utilise deux fonctions du langage : la fonction expressive, centrée sur l'auteur, qui se livre et se confie, et la fonction conative, qui permet de prendre à témoin et d'impliquer le lecteur.

▪▪▪▪ Exclamations et interrogations

☐ **Les exclamations.** La phrase exclamative, qui convient à l'expression de sensations, de sentiments intenses et de passions, est normalement admise par la syntaxe, même si elle est elliptique.

Exemples : Quelle chance a eue le gardien du phare ! (phrase normale)

Franchement mauvais ce spectacle ! (phrase elliptique normale)

Les exclamations prennent une valeur d'écart syntagmatique lorsqu'elles sont particulièrement fortes, qu'elles tendent au cri et qu'elles se succèdent rapidement.

Exemple : Ah !... pays damné ! terre du dédain ! sois maudite à jamais ! (prenant la fiole d'opium) Ô mon âme, je t'avais vendue ! je te rachète avec ceci (il boit l'opium).

Skirner sera payé ! — Libre de tous ! égal à tous, à présent !

A. de Vigny, *Chatterton*, 1835

☐ **Les interrogations.** Même utilisation, des phrases interrogatives normales à celles que l'on ressent comme des écarts.

Interrogations normales	Interrogations comme écarts
Combien vaut ce vélo ? Vous aussi ? Où donc ? (phrases elliptiques)	Où est Maï ? Est-ce qu'elle m'a écrit ? Est-ce qu'elle t'a écrit ? Est-ce qu'elle est mariée ? Est-ce qu'elle a un enfant ? Est-ce qu'elle pense à moi ? Est-ce qu'elle m'aime ? Y. Queffélec, *Prends garde au loup*, Julliard, 1992

☐ **La succession d'exclamations et d'interrogations.** Elle peut révéler un bouleversement affectif, une tempête passionnelle, un désir pathétique de se confier.

Exemple : Ils s'aiment ! Par quel charme ont-ils trompé mes yeux ?

Comment se sont-ils vus ? Depuis quand ? Dans quels lieux ?

Tu le savais. Pourquoi me laissais-tu séduire ? Racine, *Phèdre*, 1677

☐ Situations d'emploi : discours, confessions, dialogues, théâtre, poésie lyrique.

▪▪▪▪ Les apostrophes et les interjections

☐ **Les apostrophes.** Ces interpellations brusques d'une personne, d'une divinité, d'une force naturelle, voire d'un objet sont liées aux figures précédentes. Leur accumulation crée une tension, tragique ou comique.

Exemple : Mon bel amour mon cher amour ma déchirure

Je te porte dans moi comme un oiseau blessé. L. Aragon

☐ **Les interjections.** Ces mots invariables expriment un sentiment, une émotion vifs. Ils accompagnent souvent les apostrophes :

Exemple : Ô Meuse inaltérable et douce à toute enfance

Ô toi qui ne suis pas l'émoi de la partance Ch. Péguy

PROCÉDÉS

■ Les procédés conatifs

La supplication. On implore un être ou une divinité, de manière insistante, avec humilité.

Hélas je suis, Seigneur, puissant et solitaire
Laissez-moi m'endormir du sommeil de la terre
A. de Vigny, Moïse

La lamentation. On exprime des regrets très vifs, sur un ton tragique.

Ô nuit désastreuse ! ô nuit effroyable où retentit tout à coup comme un éclat de tonnerre cette étonnante nouvelle : Madame se meurt ! Madame est morte !

Bossuet, Oraison funèbre d'Henriette d'Angleterre

L'imprécation. On exprime un souhait en forme de malédiction.

Que donc celui qui vient de crever au cœur de la béatitude générale s'en aille à son tour en fumée.

L. Aragon, Un Cadavre (Anatole France !)

Le sarcasme. On exprime une raillerie ou une critique ironique, dure, cruelle.

Oh ! Je ne l'oublie pas, papa ! Je suis ta fille. Je suis la fille du petit monsieur aux ongles noirs et aux pellicules ; du petit monsieur qui fait de belles phrases, mais qui a essayé de me vendre, un peu partout, depuis que je suis en âge de plaire…

Anouilh, La Sauvage, Éd. de La Table Ronde

L'injure. Elle utilise des mots péjoratifs, souvent empruntés aux registres de langue familier et argotique.

■ Exercice 1

1. Repérez les exclamations et les interrogations. Quels sont leurs effets ?
2. Lesquelles sont normales ? Lesquelles sont des écarts ?

— Vous n'êtes pas Vingtras ?
On s'est rassemblés.
— Un mouchard ! Abattons-nous ça !
— À la mairie ! À la mairie !
— Pourquoi à la mairie ? Là, contre la palissade !
— Jacques Vingtras a de la barbe. Vous n'êtes pas Jacques Vingtras !
— Au mur ! Au mur !
Ce mur est la devanture d'un café de la rue Soufflot. J'ai essayé de m'expliquer.
— Mais, sacrelotte ! depuis mon évasion du Cherche-Midi, j'ai gardé le menton ras !…
J. Vallès, L'Insurgé

■ Exercice 2

Rédigez un texte d'une quinzaine de lignes où vous utiliserez la lamentation, l'imprécation et le sarcasme.

Les fausses questions

■ La subjection est une assertion exprimée sous la forme de questions/ réponses.

J'existe, je pense, je sens de la douleur ; tout cela est-il aussi certain qu'une vérité géométrique ? Oui. Pourquoi ? C'est que ces vérités sont prouvées par le même principe qu'une chose ne peut être et n'être pas en même temps.
Voltaire, Dictionnaire philosophique, 1764

La subjection a pour effet de décomposer le raisonnement, d'impliquer le lecteur.

■ La fausse interrogation est une question au lecteur qui le conduit à donner une réponse favorable à l'auteur. C'est donc un procédé de persuasion.

Avons-nous protégé ces femmes ?
                              [Avons-nous
Pris ces enfants tremblants et nus sur
                              [nos genoux ?
L'un sait-il travailler et l'autre sait-il
                              [lire ?
L'ignorance finit par être le délire […]
V. Hugo, L'Année terrible

La réponse attendue, donnée par le poète : C'est pour cela qu'ils ont brûlé vos Tuileries.

LANGUE ET STYLE

MÉTAPLASMES

MÉTRIQUE

CHOIX DES MOTS

COMBINAISON DE MOTS

TYPOLOGIE DE TEXTES

Le texte explicatif

> **Le texte explicatif a pour fonction de donner au lecteur les moyens de comprendre un mot, une situation, un phénomène ou un fonctionnement. Il n'est pas réservé aux genres scientifiques ou didactiques. La littérature de fiction et la littérature d'idées l'utilisent.**

▬▬▬ Fonctionnement du texte explicatif

□ Trois fonctions de la communication. Toute explication illustre la fonction référentielle puisqu'elle correspond à la transmission d'informations objectives sur la réalité. Elle utilise aussi la fonction métalinguistique qui permet de définir un mot avec d'autres mots (ex. : l'atome, cette particule caractéristique d'un élément chimique…). Enfin, la fonction phatique intervient pour faciliter la perception du message : syntaxe simple, structuration claire, adaptation des explications au niveau culturel du destinataire.

□ Structure d'une définition. Souvent, la définition précède l'explication. Elle suit quelques critères simples : inclusion, caractérisation, finalité, autres informations.

Exemple :

```
         Inclusion dans une catégorie      Caractérisation
   ┌─────────────────────────────┬───────────────────────────┐
   │ Une harpe est un instrument │ à cordes d'inégale longueur │
   ├──────────────┬──────────────┴──┬────────────────────────┘
   │ qu'on pince  │ des deux mains   │ pour produire le son.
   └──────────────┴──────────────────┴────────────
      Emploi              Finalité
```

▬▬▬ Moyens stylistiques du texte explicatif

□ La rhétorique de l'explication. Dans les textes explicatifs à tendance littéraire (presse, publicité, ouvrages de vulgarisation) comme en littérature, l'explication peut utiliser des suites de questions-réponses et de nombreux exemples concrets.

□ Sur l'axe paradigmatique (choix des mots)

Choix	L'usage de mots précis et adaptés est primordial. Les synonymes sont recommandés (= fonction métalinguistique). Le présent intemporel convient.
Écarts de style	Rares à part quelques métaphores explicatives.

□ Sur l'axe syntagmatique (combinaison des mots)

Choix	Phrases plutôt courtes, simples ou composées. Formes emphatiques (c'est… voilà…). Importance des connecteurs logiques (conjonctions, adverbes…).
Écarts de style	La comparaison est d'un grand secours pour ramener l'inconnu au connu, y compris dans les textes scientifiques. Autres possibilités : énumérations, accumulations, oppositions, utilisées pour leurs vertus didactiques.

▬▬▬ Situations d'emploi des textes explicatifs

Dans les domaines des sciences et des techniques ou de leur vulgarisation, le texte doit être strictement dénotatif. Dans les récits ou les essais, les explications sur les lieux ou les actants ralentissent le rythme et enrichissent le texte.

DÉFINIR ET EXPLIQUER

■ Légender une image

La presse et de multiples ouvrages d'information de bonne tenue littéraire utilisent des images (photos, dessins, schémas iconiques). Leur légende fait intervenir définitions et explications mais l'exercice est délicat : une légende doit rester courte, accrocher, se conformer à la nature de l'ouvrage ou du journal.

Exemple : ce dessin, tiré du catalogue 1920 de la Manufacture de Saint Étienne, pourrait, de nos jours, suppor- ter différentes légendes :

■ En paraphrase de l'image : *Le fameux bateau pneumatique insubmersible, muni de jambières, utilisé dans la chasse au marais.*

■ En réduisant la polysémie de l'image (= plusieurs sens) : *Ce n'est pas un habitant de Mars mais un chasseur de 1898 !*

■ En prenant le dessin pour thème et la légende pour propos : *Marcher… en bateau, s'asseoir dans le bateau, tirer les canards : c'est très simple.*

■ Exercice

1. Quelle est l'organisation des textes, des définitions et des explications ?
2. Quels moyens stylistiques sont utili- sés ? Pour quels effets ?

Dans les brisants, parmi les lames en
[démence,
L'endroit bon à la pêche, et, sur la mer
[immense,
Le lieu mobile, obscur, capricieux,
[changeant,
Où se plaît le poisson aux nageoires
[d'argent,
Ce n'est qu'un point ; c'est grand deux
[fois comme la chambre.
Or, la nuit, dans l'ondée et la brume, en
[décembre,
Pour rencontrer ce point sur le désert
[mouvant,
Comme il faut calculer la marée et le vent !

V. Hugo, Les Pauvres Gens, 1859

J'ai un ami, Monsieur, vous ne le croiriez pas, qui est Miglionnaire. Il est intelligent aussi. Il s'est dit : une action gratuite ? comment faire ? Et comprenez qu'il ne faut pas entendre là une action qui ne rap- porte rien, car sans cela… Non, mais gra- tuit : un acte qui n'est motivé par rien. Comprenez-vous ? intérêt, passion, rien. L'acte désintéressé ; né de soi ; l'acte aussi sans but ; donc sans maître ; l'acte libre autochtone ?

A. Gide, Le Prométhée mal enchaîné,
Gallimard, 1889

Quand le polystyrène devient poétique

Raymond Queneau a rédigé en vers alexandrins le commentaire d'un film documentaire d'A. Resnais, *Le Chant du Styrène.* Voici le début de ce texte expli- catif où le registre de langue pratiqué paraît incongru !

Ô temps, suspends ton bol, ô matière
[plastique
D'où viens-tu ? Qui es-tu ? et qu'est-ce
[qui explique
Tes rares qualités ? De quoi donc es-
[tu fait ?
D'où donc es-tu parti ? Remontons de
[l'objet
À ses aïeux lointains ! Qu'à l'envers se
[déroule
Son histoire exemplaire. Voici d'abord
[le moule. […]

R. Queneau, Chêne et Chien, Gallimard, 1957

LANGUE ET STYLE

MÉTAPLASMES

MÉTRIQUE

CHOIX DES MOTS

COMBINAISON DE MOTS

TYPOLOGIE DE TEXTES

Le texte argumentatif

Texte d'idées, le texte argumentatif a pour fonctions de réfuter une thèse adverse et de convaincre. Il utilise des arguments et toute une rhétorique de la persuasion et de la disposition. Les discours préparés, les essais, la littérature engagée, certains articles de presse et textes scientifiques sont de nature argumentative.

▬▬ Les arguments

☐ L'argumentation. Un argument est une assertion qui en justifie, en prouve une autre. Il marque la prise de position, l'engagement de l'auteur.

☐ Démontrer ou argumenter ? Une démonstration est vraie ou fausse. Ainsi, en mathématiques, on part des prémisses admises (définitions, axiomes) et, par enchaînement logique, on aboutit à une conclusion nécessaire. La démonstration est donc mécanisable ! Par contre, l'argumentation part d'une conclusion (c'est l'opinion à faire passer) et en développe les justifications et les prémisses. Elle n'est pas mécanisable : elle dépend du système des valeurs (morales, esthétiques, politiques), variable selon les temps et les lieux.

▬▬ La valorisation des arguments

☐ La disposition. L'ancienne rhétorique attachait une grande importance à la *dispositio*, art de donner aux arguments un ordre efficace. De nos jours, un plan de dissertation relève du même souci.

☐ L'utilisation d'exemples : ils facilitent l'ancrage de l'argument dans la réalité.

☐ L'implication du destinataire. L'auteur peut le prendre à témoin par des questions, des confidences (*voyez… imaginons…*), faire appel à ses mobiles.

▬▬ Les moyens stylistiques

☐ Sur l'axe paradigmatique (choix des mots)

Choix	Mots souvent organisés en réseaux lexicaux correspondant aux arguments. Domination du présent intemporel. Importance des adjectifs et des adverbes.
Écarts de style	Beaucoup conviennent : la litote est un « argument » puisqu'on feint de rester en deçà, l'ironie souligne l'esprit polémique, métaphores et hyperboles séduisent.

☐ Sur l'axe syntagmatique (combinaison des mots)

Choix	Variété souhaitable des phrases. Les phrases complexes conviennent à l'expression de démonstrations ou d'arguments.
Écarts de style	Répétitions, accumulations, antithèses, ruptures font passer le lecteur de la compréhension à l'élan enthousiaste : la rhétorique séduit.

▬▬ Situations d'emploi du texte argumentatif

La « littérature » scientifique ou philosophique a pour nature l'argumentation, sans pour autant créer un style. En revanche, littérature et presse utilisent des textes argumentatifs où la volonté de convaincre suscite un style.

ARGUMENTS

■ Arguments pour convaincre

Argument d'autorité. On se réfère à une autorité admise, morale, littéraire, etc.

Causalité. On montre que, selon les lois du déterminisme, tel fait entraîne telle conséquence.

Données scientifiques. Elles servent à prouver la validité d'une idée.

Données historiques et existence des faits. C'est la preuve par l'existence.

Données numériques. Elles permettent de préciser ses sources.

Avantages ou inconvénients. On en fait la revue sur différents plans.

Alternative. On montre qu'il faut impérativement choisir entre deux solutions.

Élimination des autres solutions. On en montre les insuffisances.

Les « paliers ». On montre que grâce aux efforts consentis on atteint un premier « palier », et ainsi de suite.

Appel aux valeurs supérieures. Sur différents plans, notamment éthique et métaphysique (ex. : la tolérance est supérieure à la religion obligatoire).

■ Arguments pour réfuter

■ Rétablir la vérité, par exemple en dénonçant une erreur scientifique.

■ Dénoncer des erreurs de raisonnement (failles logiques).

■ Refuser l'esprit d'autorité, en contestant une autorité invoquée.

■ Découvrir l'idéologie, c'est-à-dire le système d'idées et de préjugés dont l'adversaire est prisonnier.

■ Opposer des valeurs supérieures.

■ Exercice 1

1. Relevez les arguments utilisés et classez-les.
2. Quels sont les procédés rhétoriques employés ?

Il ne faut pas beaucoup de probité pour qu'un gouvernement monarchique ou un gouvernement despotique se maintiennent ou se soutiennent. La force des lois dans l'un, le bras du prince toujours levé dans l'autre, règlent ou contiennent tout. Mais dans un État populaire, il faut un ressort de plus, qui est la VERTU. […]

Ce fut un assez beau spectacle, dans le siècle passé, de voir les efforts impuissants des Anglais pour établir parmi eux la démocratie. Comme ceux qui avaient part aux affaires n'avaient point de vertu, que leur ambition était irritée par le succès de celui qui avait le plus osé, que l'esprit d'une faction n'était réprimé que par l'esprit d'une autre, le gouvernement changeait sans cesse : le peuple, étonné, cherchait la démocratie, et ne la trouvait nulle part.

Montesquieu, L'Esprit des Lois, 1748

■ Exercice 2

Rédigez un texte d'une vingtaine de lignes, dans lequel vous argumenterez en faveur de la science et vous réfuterez les attaques de certains détracteurs. N'oubliez pas la valorisation rhétorique.

L'honnêteté intellectuelle

L'argumentation, parfois très polémique, peut vite devenir spécieuse. Au nombre des ruses argumentatives, on peut signaler la pratique de l'amalgame (on assimile l'adversaire à un individu indésirable), le défi de prouver le contraire, l'appel à la foule qu'on prend à témoin de la soi-disant turpitude du contradicteur, le rejet d'une objection parce que trop puérile, le prétexte de la bassesse d'une attaque (on ne s'abaisse pas à répondre) ou l'échappatoire qui fait répondre à côté.

Par souci d'honnêteté intellectuelle, mieux vaut s'interdire ces pratiques de terrorisme intellectuel ou de démagogie, les attaques personnelles et les insultes, et critiquer dans un esprit de respect de la dignité de l'adversaire.

LANGUE ET STYLE

MÉTAPLASMES

MÉTRIQUE

CHOIX DES MOTS

COMBINAISON DE MOTS

TYPOLOGIE DE TEXTES

Le texte injonctif

Le texte injonctif a pour but de conseiller ou de mobiliser ses lecteurs. Il incite à penser puis à s'engager ou, plus simplement, dans le domaine technologique, à utiliser une machine. Plus il est passionnel et plus il affirme un style comme technique de persuasion.

▬▬ Fonctionnement du texte injonctif

☐ L'excroissance conative. La fonction conative du langage qui, dans un message, témoigne de la volonté d'impliquer le destinataire en l'interpellant directement, est primordiale dans tous les textes injonctifs, de la circulaire au sermon.

☐ Les autres fonctions présentes. Dans les textes injonctifs de nature utilitaire, les fonctions référentielle (transmission d'informations objectives sur la réalité) et métalinguistique (on explique un mot avec d'autres mots) sont aussi importantes que la fonction conative. Exemple : une recette de cuisine doit décrire les opérations nécessaires, préciser les doses, expliquer certains mots.

Dans les textes de tonalité littéraire (tracts, poèmes), l'émetteur s'implique directement : la fonction expressive prend alors une grande importance.

Qu'on appelle à la mise en marche d'un réfrigérateur ou à la révolution, il faut fixer des étapes, linéairement et chronologiquement. Cette logique diachronique peut être soulignée par la disposition en alinéas.

☐ Une typologie. Le texte injonctif peut être strictement fonctionnel, dénué de style et « froid » (exemples : circulaire, mode d'emploi). Au contraire, lorsque sa fonction est de mobiliser, il est « chaud » : les sentiments, la passion l'animent.

▬▬ Moyens stylistiques

Les écarts de style ne concernent que les textes informatifs à vocation littéraire (poésie, article de presse, théâtre, etc.).

☐ Sur l'axe paradigmatique (choix des mots)

Choix	*Verbes* : le mode impératif domine, mais l'infinitif ou le futur de l'indicatif, moins « durs », sont utilisables. Prédominance des verbes d'action. *Noms et adjectifs* : précis et monosémiques (= une seule signification) dans les textes « froids », connotatifs (= sens seconds) dans les textes « chauds ».
Écarts de style	Les images qui frappent, étonnent, mobilisent sont recherchées : connotations multiples, métaphores, hyperboles, antiphrases.

☐ Sur l'axe syntagmatique (combinaison des mots)

Choix	Phrases simples ou composées (mais courtes). Les phrases complexes apparaissent dans les discours, la poésie. Beaucoup de phrases exclamatives ou nominales.
Écarts de style	Expansions et gradations, antithèses, figures exclamatives ou interrogatives, apostrophes et interjections.

INJONCTIONS

■ Typologie des textes injonctifs

■ Les textes injonctifs « froids » correspondent aux besoins d'une communication utilitaire. Le style leur est inutile. Par contre, ils doivent être très lisibles, clairs, précis, opératoires. Exemple : Dans ce mode d'emploi, des directives et des phrases simples suffisent :

Réglez le thermostat à − 18 °C, température idéale pour la conservation. L'interrupteur super doit être coupé.

■ Les textes injonctifs « chauds » correspondent à une volonté de vaincre des réticences, d'emporter l'adhésion, de conduire à une action. Exemple : La directive du poète est certes fictive mais elle crée une intimité entre auteur et lecteur :

Va dire à ma chère Île, là-bas, tout là-bas,
Près de cet obscur marais de Foulc, dans
[la lande,
Que je viendrai vers elle ce soir, qu'elle
[attende,
Qu'au lever de la lune elle entendra mon
[pas.

P. De La Tour du Pin, *Quête de joie*,
Gallimard, 1967

■ Exercice 1

1. Quelle est la fonction de la communication prépondérante ? Pourquoi ?
2. Distinguez les trois types d'injonctions utilisés.

Père Ubu : Apportez la caisse à Nobles et le crochet à Nobles et le couteau à Nobles et le bouquin à Nobles ! Ensuite, faites avancer les Nobles. (on pousse brutalement les Nobles)
Mère Ubu : De grâce, modère-toi, père Ubu
Père Ubu : J'ai l'honneur de vous annoncer que pour enrichir le royaume je vais faire périr tous les Nobles et prendre leurs biens
Nobles : Horreur ! À nous peuple et Soldats !

A. Jarry, *Ubu Roi*, III, 2

■ Exercice 2

1. Ce texte est-il « froid » ou « chaud » ? Comment et pourquoi ?
2. Comment sont données les directives ? Pourquoi ?

Nouveau Michelin Pilot. Maintenant, vous pouvez choisir la couleur de votre conduite.
Pour une conduite « confort », choisissez Pilot.
Pour une conduite « harmonie », choisissez Pilot.

■ Exercice 3

Rédigez un texte injonctif chaud à partir de ces deux idées : toute activité créatrice exige une diététique, comme dans le sport ; ceux qui prétendent qu'un créateur a besoin de tabac, de drogues, de nuits blanches sont des imposteurs.

L'injonction et les marques du pouvoir

Le ton du texte injonctif révèle la nature des rapports de force entre l'émetteur et le destinataire.
Lorsque le pemier semble avoir tout pouvoir sur le second, il donne impérativement des ordres. Les lois, les règlements, les directives professionnelles correspondent à cette situation d'énonciation. De même, mais avec le concours du style, sermons, discours, textes engagés révèlent la prise de pouvoir de l'émetteur. Lorsque l'auteur doit convaincre ou séduire des destinataires autonomes, libres d'adhérer ou non, il emploie des formulations édulcorées où les impératifs sont évités.
Troisième cas : si le destinataire possède le pouvoir, l'émetteur ne peut que l'implorer (prière ou supplication).

LANGUE ET STYLE

MÉTAPLASMES

MÉTRIQUE

CHOIX DES MOTS

COMBINAISON DE MOTS

TYPOLOGIE DE TEXTES

Le texte descriptif

Décrire, c'est représenter, dépeindre un lieu, une scène. Autonome ou liée à un récit, la description se construit selon des structures dont le choix par l'auteur est relativement libre. Il manifeste ainsi son style, tributaire aussi des mots , des phrases et des écarts utilisés.

▬▬ Structures du texte descriptif

☐ Choix d'un ordre descriptif. La perception du réel est synchrone : nous voyons ensemble un grand nombre d'éléments. En revanche, une description écrite est obligatoirement linéaire, d'où la nécessité d'inventer un ordre descriptif.

☐ Thème et sous-thèmes. Au niveau sémantique (= des significations), la description s'ordonne autour d'un thème central, par exemple un paysage de plaine. Des sous-thèmes — vision d'un village, blés de juillet, soleil blanc, air tiède, etc. — s'y rattachent, quel que soit l'ordre de leur description.

☐ La focalisation. La description peut se faire de plusieurs points de vue : celui d'un narrateur omniprésent à qui rien n'échappe, celui, plus fragmentaire, d'un narrateur qui découvre graduellement un lieu, celui d'un narrateur qui livre une approche très subjective.

☐ Continu ou discontinu. Les longues descriptions en continu ne sont pas rares chez Balzac et dans le Nouveau Roman des années soixante et les descriptions en poésie peuvent occuper un texte entier. Pourtant, très souvent, les descriptions, liées au récit sont conduites en discontinu, y compris dans la même phrase.

☐ La fonction symbolique. Tout lieu a une ou plusieurs significations secondes.

▬▬ Les moyens stylistiques

☐ Sur l'axe paradigmatique (choix des mots)

Choix	Importance du vocabulaire des cinq sens, notamment celui de la vision. Les réseaux lexicaux créent l'unité descriptive. Temps utilisés : le présent (d'énonciation ou intemporel) et l'imparfait, duratifs, dominent.
Écarts de style	Le filage des métaphores (page 70) est fréquent dans les descriptions, en prose ou en poésie. La métonymie est utilisable.

☐ Sur l'axe syntagmatique (combinaison des mots)

Choix	Selon l'écriture, le genre, la mode, phrases courtes et notations brèves (classicisme, impressionnisme) ou périodes (romantisme, romans contemporains).
Écarts de style	Comparaison filée, oppositions et expansions sont souvent présentes.

▬▬ Situations d'emploi

La poésie est très souvent descriptive et lyrique à la fois. Dans les récits, la présence des descriptions est indispensable. De même, dans la presse, les informations sont toujours en symbiose avec les rapides évocations d'un lieu.

DÉCRIRE

■ L'ordre descriptif

Le lieu vu en panoramique. Le descripteur est censé pivoter sur lui-même, comme une caméra sur son axe. Il peut alors décrire, de gauche à droite, de bas en haut, etc.

Le lieu vu en perspective. Sans faire pivoter la tête, on décrit depuis un lieu fixe. Le regard procède du premier plan perçu au dernier, ou inversement. Pour chaque plan, les éléments peuvent être décrits de gauche à droite.

Le lieu vu en travelling. L'observateur est censé se déplacer : il avance ou recule, tel une caméra qui « voyage ». Il passe ainsi d'un plan d'ensemble à un plan rapproché ou inversement.

L'ordre sensuel. On peut décider de livrer les impressions dans l'ordre où nos sens les accueillent.

■ Le symbolisme de l'espace

Les lieux décrits peuvent avoir une charge symbolique considérable. Ainsi dans *Le Sagouin*, de F. Mauriac, pour Paule, le château de Cernès (noter le nom !) symbolise l'enfermement, l'école l'espoir (elle croit aimer l'instituteur).

■ Exercice 1

1. Quel ordre descriptif est choisi ? Pourquoi ?
2. Quel est le type de focalisation ?
3. Repérez les écarts de style. Quels sont leurs effets ?
4. Montrez que cette description est en même temps un récit.

« Allons donc ! ce n'est pas le vent, qui tourne… » En effet, le feu, comme on dit, se fait à lui-même du vent. Il grandit d'un coup, porté par cet élan. On le voit même dépasser la cime des pins. Plus de quinze mètres de haut. Il soulève un bruit d'ouragan, de citernes vides. Il se secoue comme une bête, et il s'étend, et il saute, de buisson en buisson, de genêt à genêt, et d'une cime à l'autre. Il grimpe le long des cares, qui flambent, comme hérissées ; il vous lèche les troncs de plus en plus haut, et on l'aperçoit courir sur les crêtes. Pour le coup, il n'y a plus de ciel. Il s'en prend d'une seule volée aux jeunes pins, s'en sert de torches, par paquets, et ils s'agitent dans ce souffle, courbés par la tornade, qu'ils suivent dans sa marche. Si le feu parvient au bas d'une pente, il faut fuir : il va monter en un moment, plus vif que jamais, par coulées, pour se déployer sur le haut.

B. Manciet, *Landes en feu,* Ed. Sud-Ouest, 1989

■ Exercice 2

Transformez cette description géographique en une description littéraire. Moyens : choix d'un ordre descriptif, d'une focalisation interne, de temps verbaux adaptés et d'écarts de style.

La Haute Belgique est formée par le massif ardennais. Ce plateau hercynien (695 m) aux horizons aplanis, aux vallées encaissées, est pour une grande part couvert de forêts ; le climat est rude : brumeux l'été, très froid l'hiver. Longtemps, l'agriculture ardennaise a été pauvre.

La fonction diégétique de la description

Une description réussie est toujours reliée au récit. Les lieux présentés sont habités, traversés par les personnages. Décor de leurs actions, ils ont pour eux un sens affectif. Apparaissent aussi des objets de prédilection, dont la quête ou la perte peuvent être tragiquement ressentis.
Le suspense dépend largement de la description : elle donne des informations qu'on a envie de prolonger, des indices lourds de significations à suivre. Autres effets diégétiques (= dans l'action) : le ralentissement du rythme, l'effet de parenthèse.

LANGUE ET STYLE

MÉTAPLASMES

MÉTRIQUE

CHOIX DES MOTS

COMBINAISON DE MOTS

TYPOLOGIE DE TEXTES

Le texte narratif

Le texte narratif raconte une suite d'événements, réels ou imaginés, qui constituent une fiction. Le passage de la fiction à sa narration implique une grande maîtrise de l'organisation interne du texte et des moyens stylistiques : ordre narratif, narrateur, focalisation, mots et phrases.

▰▰▰ Structures du texte narratif

☐ Structure linéaire de la fiction. Toute fiction suit un ordre chronologique : événement qui la suscite, série d'événements en chaîne avec péripéties (moments forts, coups de théâtre…), situation finale.

☐ De la fiction à la narration. Une narration qui décalquerait simplement la fiction serait sèche. Pour inciter le lecteur à continuer et lui faire désirer la suite, l'auteur peut enrichir la narration (descriptions, portraits, dialogues, réflexions), donner aux séquences un ordre différent de celui de la fiction, pratiquer l'ellipse, etc.

☐ Commencer et finir. L'art de l'« accrochage » se révèle au début d'un récit. Généralement, les premières indications de lieu et de temps sont données, un ou deux personnages apparaissent et un événement lourd de conséquences a lieu ou est pressenti. Le problème du dénouement est dans sa relation au récit et dans le choix d'une fin heureuse ou malheureuse.

☐ Qui raconte ? L'histoire est racontée par un narrateur. Selon les relations qu'il entretient avec l'auteur et les personnages, les situations narratives varient.

▰▰▰ Les moyens stylistiques

☐ Sur l'axe paradigmatique (choix des mots)

Choix	Importance des verbes d'action et des adverbes de temps. Vocabulaire de la caractérisation et du temps. Temps utilisés : présent (présent d'énonciation, présent de narration), imparfait en toile de fond, passé simple et passé composé des actions datées.
Écarts de style	Dans l'emploi des temps. Métaphores et métonymies fréquentes. Atténuations (litotes, style dépouillé ou hyperboles témoignent de l'optique de l'auteur et dépendent aussi du genre).

☐ Sur l'axe syntagmatique (combinaison des mots)

Choix	Libre choix de phrases courtes ou longues, simples, composées, complexes. Il faut les adapter à la situation.
Écarts de style	L'ellipse est inhérente au genre : on ne peut tout dire !

▰▰▰ Situations d'emploi du texte narratif

☐ Le texte narratif apparaît dans beaucoup de genres littéraires : contes, romans, nouvelles mais aussi fables, théâtre, poésie. Dans la presse il est fondamental.

☐ Selon le genre, les moyens stylistiques varient : le récit épique use de l'hyperbole alors que certains romans sont denses par l'économie des moyens.

STRUCTURES NARRATIVES

■ Les types de narration

Types	Caractéristiques
Linéaire	L'ordre de la fiction et celui de la narration sont les mêmes.
Linéaire à ellipses	On omet certains événements secondaires, on raccourcit.
Linéaire à expansions	On ajoute descriptions, réflexions, allusions.
En parallèle	On fait un premier récit puis un second, etc. Et on montre que les histoires ont eu lieu en même temps.
Non linéaires	On effectue des retours en arrière, on commence par la fin.

■ Le narrateur

L'auteur délègue souvent ses pouvoirs à un ou plusieurs narrateurs.

Narrateur = auteur = héros. C'est le cas dans les récits autobiographiques.

Narrateur = le héros. C'est le cas dans la presse, les récits de témoignage.

Narrateur = l'auteur. C'est le cas de la plupart des récits. Les pronoms *il* et *elle* prédominent. *Je* intervient dans les dialogues et les réflexions du narrateur.

Narrateur = un personnage. L'auteur laisse la parole à ce personnage qui raconte de son point de vue.

■ Exercice 1

1. Caractérisez le type de narration utilisé.
2. Pourrait-on écrire ce texte au présent ? Essayez.
3. Peut-on supprimer tout temps du passé ? Pourquoi ?

Sans plus réfléchir, Séraphin se porta en oblique vers le bosquet, par le plus long, comme s'il faisait partie d'une patrouille. Il ne remua pas une herbe, pas une pierre. Il arriva sous les branches du bouquet d'arbres avant que Marie, sous le cyprès,

ait pu faire un geste. Il écarta les feuillages. Parmi l'odeur des feuilles raides écrasées, celle d'un homme achevait de s'y évaporer. Il vit une bauge, large, confortable. Quelqu'un s'était mussé dans le chiendent, quelqu'un y avait longuement séjourné, quelqu'un l'avait écouté. Il dévala au pas de course le talus de la route. Elle était vide d'amont en aval, sauf un camion qui amorçait le virage du canal avec un bruit de chaîne. Au loin, à la gare de Lurs, tintait la cloche qui annonçait un train, mais nulle part il n'y avait trace d'un homme.

P. Magnan, *La Maison assassinée*, Denoël, 1984

■ Exercice 2

1. Inventez une fiction simple et résumez-la en marquant la suite des événements.
2. Quels schémas narratifs pourrait-on utiliser pour la raconter ?

Les temps de la narration

■ Le présent peut être employé, lorsque le narrateur se réfère au moment de l'énonciation ou lorsque l'histoire a lieu au moment où on la raconte. Autre emploi : dans les dialogues.

■ L'imparfait convient à l'évocation des arrière-plans puisqu'il exprime la durée, le non-accompli, le non-limité dans le temps. C'est un temps de nature descriptive.

■ Pour la succession des événements, le passé simple offre l'avantage de caractériser des actions limitées dans le temps qu'il met ainsi en relief. Tombé en désuétude, il est souvent remplacé par le passé composé ou relayé par le présent de narration.

LANGUE ET STYLE

MÉTAPLASMES

MÉTRIQUE

CHOIX DES MOTS

COMBINAISON DE MOTS

TYPOLOGIE DE TEXTES

Le dialogue

> Au théâtre, dans un roman, dans un article de presse, le dialogue est toujours un échange de paroles sans lequel l'œuvre littéraire et le journal seraient bien mornes. Sa construction en passe par quelques lois mais offre d'importantes marges de liberté créatrice.

▬▬▬ Le dialogue dans le récit

☐ Informer. Tout échange de paroles informe : sur les espaces, les temps, les actions, les autres personnages, la poursuite de l'intrigue.

☐ Participer à l'action. Les rôles qu'un personnage peut assumer transparaissent dans son discours. Par exemple, un personnage annonce qu'il va agir (il devient sujet), définit l'objet de cette action, appelle des amis à l'aider (= adjuvants). Certaines paroles sont un événement : elles entraînent des réactions, des péripéties.

☐ Les entours du dialogue. Pour faciliter la compréhension du dialogue, l'auteur donne des indications sur la voix, la mimique, les regards. Exemple : *Je vous ressemble, dit Longin sans ironie.* Lorsque ces informations prennent de l'importance, elles coupent les dialogues et les rendent discontinus. L'auteur peut aussi, pour gagner du temps, résumer des paroles.

▬▬▬ Le dialogue de théâtre

☐ Informer. Cette fonction est particulièrement importante dans le théâtre classique : l'action est censée se dérouler en 24 heures et les bienséances interdisent certains spectacles jugés pénibles. Mieux qu'à l'écrit, grâce à la présence physique de l'acteur et à son jeu (gestuelle, débit, intonations), le dialogue révèle la personnalité du personnage interprété.

☐ Participer à l'action. L'action et ses péripéties passent par les dialogues, qu'elles soient annoncées, qu'elles aient lieu en même temps ou qu'elles soient commentées après coup. C'est une des lois les plus coercitives du théâtre. Cas limite : dans le théâtre de l'absurde (Ionesco, Beckett), le dialogue, métaphysique ou fait de non-sens, gèle l'action, qui n'est plus le but principal.

☐ Les didascalies. Les renseignements sur les décors, la gestuelle, parfois les costumes ou certains jeux de scène, livrés par l'auteur, s'appellent les didascalies. Dans le théâtre contemporain, elles ont pris une grande place.

▬▬▬ Le dialogue et le style

☐ L'effet de vérité. Il est obtenu par l'utilisation de niveaux de langue appropriés, les emprunts à l'oral (phrases courtes, elliptiques, parfois coupées ou inachevées), l'utilisation de quelques termes phatiques (*Euh ! hé ! Hum…*).

☐ Un oral particulier. Le dialogue, littéraire ou journalistique, est en fait de l'oral traité, édulcoré ou « toiletté ». On en a réduit la redondance, limité les hésitations, les phrases inachevées. On y a introduit un lexique plus précis, plus coloré, et des écarts de style. La syntaxe passionnelle y domine.

☐ Le théâtre en vers. Il rejoint la poésie par la versification et les parallélismes qu'elle introduit : correspondances phoniques (rimes, coupes), syntaxiques, etc.

PARLER VRAI OU PARLER FACTICE ?

■ Discours direct ou discours indirect

Le discours direct. Les paroles sont directement rapportées :

Pierre l'a répété : « Je ne veux pas jouer. Je n'irai pas au stade ».

Le discours indirect. On rapporte indirectement les paroles dans une subordonnée complétive :

Pierre a répété qu'il ne voulait pas jouer, ni aller au stade.

Le discours indirect libre. On rapporte indirectement les paroles dans une proposition indépendante :

Pierre l'a répété. Il ne veut pas jouer ni aller au stade.

Chaque type de discours entraîne des effets de style : vie et variété du discours direct, implication du narrateur dans le discours indirect, même implication dans le discours indirect libre mais avec allégement de l'énoncé.

■ Exercice 1

1. Quelles informations sur l'action et les caractères ce dialogue apporte-t-il ?
2. Quels moyens stylistiques l'auteur met-il en œuvre ? Classez-les.

GÉRONTE : Comment, diantre ! Cinq cents écus ?
SCAPIN : Oui, monsieur ; et, de plus, il ne m'a donné pour cela que deux heures.
GÉRONTE : Ah ! le pendard de Turc ! m'assassiner de la façon !
SCAPIN : C'est à vous, monsieur, d'aviser promptement aux moyens de sauver des fers un fils que vous aimez avec tant de tendresse.
GÉRONTE : Que diable allait-il faire dans cette galère ?
SCAPIN : Il ne songeait pas à ce qui est arrivé.
GÉRONTE : Va-t-en Scapin, va-t-en dire à ce Turc que je vais envoyer la justice après lui.

SCAPIN : La justice en pleine mer ! Vous moquez-vous des gens ?
GÉRONTE : Que diable allait-il faire dans cette galère ?
SCAPIN : Une méchante destinée conduit quelquefois les personnes.
GÉRONTE : Il faut, Scapin, il faut que tu fasses ici l'action d'un serviteur fidèle.
SCAPIN : Quoi, monsieur ?
GÉRONTE : Que tu ailles dire à ce Turc qu'il me renvoie mon fils, et que tu te mettes à sa place jusqu'à ce que j'aie amassé la somme qu'il demande.

Molière, *Les Fourberies de Scapin,* 1671

■ Exercice 2

Prolongez ce dialogue (dix lignes) :

Sa mère l'attendait à la cuisine, attablée devant un bol de café.
— D'où sors-tu ? demanda-t-elle d'un ton las.
Toni s'assit à côté d'elle en souriant, les bras croisés, et la regarda bien en face.
— La bibliothèque, maman. J'ai rien fait de mal. J'ai lu Blueberry.
— C'est quoi ?

La parole au théâtre

■ Au théâtre, les paroles des personnages sont destinées à la fois aux autres personnages et au public. Alors que la lecture permet l'arrêt et le retour en arrière, la parole théâtrale doit maintenir l'attention du spectateur : elle évite donc tout délayage, tout développement trop long et cherche des formules nettes et frappantes.

■ Hormis les dialogues, le théâtre utilise, pour l'information :
— Le quiproquo : un personnage parle à quelqu'un qu'il croit être un autre.
— Le faux dialogue : on parle à un confident qui sert à renseigner le spectateur.
— Le monologue : en fait le personnage parle pour les spectateurs.
— L'aparté : le personnage s'adresse directement aux spectateurs, à l'insu des autres personnages.

CORRIGÉS

PAGE 5 LES PARAMÈTRES DE LA COMMUNICATION

1 Trois « encodages » des mêmes informations

1. Un début de conte merveilleux. Sur le rocher aride se dressait un château fort. Aucune lumière, aucune torche ne semblait y brûler. Douce et fraîche, la brise nocturne soufflait en ce lieu qui semblait désert. C'est alors qu'un cavalier surgit sur le chemin. Courbé sur l'encolure de son cheval blanc, il galopa vers le château et le pont-levis, inexplicablement, s'abaissa devant lui. Il mit pied à terre dans la cour et resta un moment près de sa monture haletante. Il paraissait à peine vingt ans. Après avoir levé la tête vers une fenêtre à meneaux qui venait de s'éclairer, il sourit. « Delphine, ma mie, où dormez-vous ? », cria-t-il les mains en porte-voix.

2. Un début de récit fantastique. Nous étions arrivés en vue d'une plate-forme calcaire que Duncan connaissait. Nous pourrions nous y installer pour la nuit qui s'annonçait propice. À peine cinq cents mètres et nous dresserions la tente. Mais, curieusement, mes jambes sont devenues lourdes et des crampes m'ont bloqué sur place. Miguel m'a appelé. Il n'était pas très audible mais, à ses gestes inquiets et insistants, j'ai compris qu'il fallait regarder en direction du plateau. Maintenant il criait : « Il n'était pas là ! Il n'était pas là ! »
J'ai tourné le visage et j'ai vu ce château fort blanc. Il occupait toute la plate-forme. Tout à l'heure je n'avais rien remarqué. Miguel a crié à nouveau : « Écarte-toi ! Gare à toi ! C'est le chevalier noir ! » Un galop précipité m'a étourdi, j'ai vu une longue lance, la tête d'un cheval noir, un cavalier nimbé de scintillements. Je me souviens d'avoir eu tout à coup très froid. Un vent violent m'a projeté dans la cour du château. Le cavalier est debout à quelques pas de moi. Il fixe une échauguette qui, dans la nuit naissante, s'estompe déjà. J'entends encore sa voix, sourde et métallique, sans rythme aucun. Il parle d'une princesse morte, il l'appelle lugubrement, il demande où elle dort.

3. Un début de poème. Voici le début du poème d'où le thème proposé a été tiré :

Sur un haut rocher un château fort
où personne jamais plus n'habite,
le vent qui rôde et souffle très fort,
et la nuit noire qui descend vite.

Un homme à cheval vient au galop,
plus rapide que la bise et l'eau
de l'océan, arrive au donjon,
saute la douve verte de joncs,

s'arrête dans la cour, essoufflé,
jette en l'air un long regard troublé :
Où la princesse fille des rois
dort-elle ? dit-il avec effroi.

Il n'y a plus ici de princesse,
répond le vent qui gémit sans cesse.
Allez ailleurs chercher l'idéal
dans un autre château féodal.

A. Audra, « The Quest », *Les poètes de la Vie*,
Buchet-Chastel, 1945

2 Un message sans référent ?

1. Chaque segment de texte, si on l'isole de l'ensemble, peut sembler avoir un référent : on peut allumer des feux dans le désert, imaginer la personnification de la rosée, etc. Lorsque ces segments sont assemblés, selon une syntaxe tout à fait normale, les référents semblent fuir : un univers imaginaire, illogique (le désert, les yeux mouillés, la rosée n'entretiennent-ils pas des rapports lointains ?), onirique s'est substitué au réel connu. Ne peut-on parler de référents psychiques ?

2. La communication entre auteur et lecteur est difficile pour les raisons ci-dessus mais l'essentiel du message est dans les connotations suscitées par cette suite d'images et dans un dialogue un peu secret, de désir à désir, de rêve à rêve.

PAGE 7 LES FONCTIONS DE LA COMMUNICATION ÉCRITE

1 Trois fonctions

1. La fonction référentielle est représentée par les mots et expressions suivants : *l'été craonnais, doux mais ferme, réchauffait… lové sur lui-même : trois spires de vipère… Cette vipère, elle dormait… Hercule au berceau étouffant les reptiles… mythe expliqué… je fis… je saisis la bête par le cou vivement. Oui, par le cou et, ceci, par le plus grand des hasards… qui devait faire long feu dans les (saints) propos de la famille.*

2. La fonction expressive est représentée par les mots et expressions suivants : *doux mais ferme… ce bronze impeccablement lové… à tenter l'orfèvre, moins les saphirs classiques des yeux car, heureusement pour moi… Elle dormait trop, sans doute affaiblie par l'âge ou fatiguée par une indigestion de crapauds… un petit miracle en somme.*

3. Les métaphores : *ce bronze* (= la vipère), *saphir* (= les yeux), *un miracle*.
Remarque : parfois, les fonctions sont imbriquées. Ainsi, le segment « ce bronze impeccablement lové sur lui-même » a une valeur référentielle (= la vipère), expressive (c'est « impeccable »), poétique (la métaphore).

2 Trois textes

1. Un texte référentiel. Un Français de 35 ans vient de racheter une usine de pâtes alimentaires en Pologne. Après avoir conduit une étude de marché très complète, il a réussi à obtenir l'aide du Crédit X. Malgré la concurrence des produits locaux et des importations, il a jeté son dévolu sur une usine d'État au management très droit mais que la faillite menaçait. Privatisée à 100 %, l'affaire se porte bien. Un programme d'investissement est au point et une nouvelle usine ultramoderne sera inaugurée en octobre. Ce Français a maintenu tous les salariés et il conduit une politique sociale hardie : les salaires sont parmi les plus élevés de la Pologne.

2. Un texte expressif. Un Français de 35 ans est devenu en peu de temps le roi de la nouille polonaise. Du courage et du toupet, et aussi l'aide arrachée au Crédit X. On a bien essayé de le décourager : la concurrence locale, les importations… Taratata. Il a foncé et acheté une usine d'État pas loin de la faillite malgré une gestion ferme et un personnel ardent et conscient. Notre Français a su profiter de ces atouts. Mieux, il a construit une usine ultramoderne, superbe et fonctionnelle, à rendre jaloux les Italiens. Et, comme il est généreux et social, il a maintenu tous les emplois et il verse des salaires très élevés pour la Pologne : chapeau !

3. Un texte conatif. Vous connaissez le roi de la nouille polonaise ? C'est un Français. Non, je ne ris pas. Un Français de 35 ans. On vous avait dit que les Français étaient frileux et qu'ils prenaient peu de risques hors de chez eux ? On ne vous avait pas tout dit !
« Vous perdez votre temps, entendait-il à Varsovie. Les Polonais consomment dix fois moins de pâtes que les Italiens… — Une raison de plus, voilà mon créneau » s'est dit ce Gaulois offensif.

Il a donc acheté une usine d'État proche de la faillite malgré une gestion sérieuse et un personnel motivé. « Ose et tu gagneras ! » La petite voix lui a donné le courage de frapper aux portes des banques, de décrocher un prêt salvateur. Oyez et applaudis-sez : le roi de la nouille a pu démarrer en force et voici qu'il vient de faire bâtir une nouvelle usine. Ultramoderne, vous vous en doutiez. Mais oseriez-vous y croire ? Notre homme n'a licencié personne et les Polonais vous diront qu'il leur verse des salaires généreux.

PAGE 9 FONCTIONS DE LA COMMUNICATION ET STYLE

1. Les mots des fonctions référentielle et expressive

Fonction référentielle	Fonction expressive
Du vers 1 au vers 9, le texte est référentiel : le poète semble simplement noter des informations. Le vers 10 est référentiel mais la phrase qu'il enclenche ne l'est plus.	Elle prend le relais de la fonction référentielle à partir du vers 10 : cet « air du temps » semble bien subjectif !

2. Les très fortes connotations du travail ennuyeux (vers 2, 3), du soleil, de l'amour et de « l'air du temps » créent un réseau second de significations, du type : le balayeur las de balayer pense à ses amours dont le reflet lui est renvoyé par un couple d'amoureux ; et voici qu'il se sent menacé.

3. La fonction poétique naît en partie des vers libérés dont plusieurs riment (vers 5, 7 ; 11, 12, 13, 14) et deux assonent (vers 1, 3) mais elle est aussi liée à des procédés de style : répétition (v. 2), phrases juxtaposées (= asyndète) avec reprise de « il » (v. 3, 4, 5, 7, 9), ce qui fait naître un parallélisme et un rythme, les antithèses (*doux et char-mant / grinçant et menaçant*).

PAGE 11 LE SIGNE LINGUISTIQUE

1 Valorisation du référent

La simple juxtaposition de trois signes concrets — *automne, brume, pluie* — la méta-phore *âme / escargot* qui concrétise l'âme, « filée » par celle de la coquille, valorisent net-tement les référents, c'est-à-dire un paysage automnal et l'état d'esprit qu'il suscite.

2 Valorisation des signifiants

Par leurs sonorités les trois premiers mots portent l'ambiguïté de la saison : des consonnes momentanées (*t, b, p*) qui claquent, alarmantes, et qui rejoignent les *u* et le *i* très aigus mais aussi la liquidité et la douceur des consonnes continues *r* et *l*. Noter aussi un *o* conquérant et un ɔ voilé dans « automne ». Même valorisation du signifiant dans les vers suivants où les consonnes momentanées de « recroque-villée » et d'« escargot » (*k, g*), à peine tempérées par le *ll* mouillé, disent la tristesse de l'âme, portée aussi par les voyelles sombres *o* et *ou*.
La valorisation du signifiant s'effectue aussi par la disposition des mots en décalage : elle suggère un ordre descendant des images et des sentiments et introduit un rythme ternaire.

PAGE 13 DÉNOTATION ET CONNOTATION

1 Dénotation et connotations des mots

Mots	Dénotation	Connotations	Origine des connotations
canon	arme	guerre, carnage, tragédie, mort	environnement social, histoire des peuples
	règle	rigidité	environnement social
bureau	lieu de travail	paperasserie, univers clos, mesquinerie, ronds de cuir	environnement social, satire de la bureaucratie
été	saison	joie, soleil, vacances, mer, montagne	nature extérieure et réactions habituelles, habitudes culturelles
vert	couleur	campagne, printemps, été, espérance	nature extérieure signification codée en Occident (pays musulman ; c'est aussi la mort et le Paradis) = symbole
coq	gallinacé	fierté, la France	symbole très français

2 Connotations des mots soulignés

Mots soulignés	Connotations	Origine des connotations	Rapports logiques entre dénotation et connotations
silences	solitude, inquiétude, nuit	le contexte	entre le silence état (dénotation) et ce silence-usine, rapport à la fois métaphorique et métonymique
petites entreprises	taille artisanale, rassurante, évoquant le passé	le contexte mais aussi l'environne-ment social (histoire du monde industriel)	rapport synecdochique entre la partie et le tout (capitalisme à ses débuts)
usines	grandes dimensions, univers de l'aliéna-tion, inhumanité	le contexte et l'environnement social + histoire personnelle pour certains	rapport synecdochique (partie/tout) et métonymique (ce qu'engendre l'usine)
beaux quartiers	quartier des riches, ironie, antithèse avec quartiers... laids	environnement social, histoire personnelle éventuellement	l'ironie dit l'inverse de ce qu'il faut penser : ces quartiers riches ne sont pas obligatoirement beaux !

PAGE 15 MONOSÉMIE ET POLYSÉMIE

1 Un énoncé strictement monosémique

Chaque mot est d'une grande précision technique, indispensable, qui exclut toute connotation. Le texte est donc monosémique.

2 Un texte de Baudelaire

1. La polysémie des mots en italique

Mots	Sens dénoté	Connotations
soleil	astre	chaleur très forte.
mort savoureuse	pas de dénotation	métaphore de la mort, si douce qu'on peut la... déguster, paradoxe. alliance de mots, sommeil délicieux d'abandon.
Dorothée	prénom de femme	Dorothée est solaire, envoûtante, inquiétante.
rue déserte	voie de passage sans personne	mystère, lourde chaleur.
noire	couleur	dans l'attente de la suite, ambiguïté du mot : Dorothée est-elle une femme noire ou bien cette « tache » est-elle hallucinatoire ?

2. Voici la suite du texte de Baudelaire :

Elle s'avance, balançant mollement son torse si mince sur ses hanches si larges. Sa robe de soie collante, d'un ton clair et rose, tranche vivement sur les ténèbres de sa peau et moule exactement sa taille longue, son dos creux et sa gorge pointue.

Son ombrelle rouge, tamisant la lumière, projette sur son visage sombre le fard sanglant de ses reflets.

Le poids de son énorme chevelure presque bleue tire en arrière sa tête délicate et lui donne un air triomphant et paresseux. De lourdes pendeloques gazouillent secrètement à ses mignonnes oreilles.

De temps en temps la brise de mer soulève par le coin sa jupe flottante et montre sa jambe luisante et superbe ; et son pied, pareil aux pieds des déesses de marbre que l'Europe enferme dans ses musées, imprime fidèlement sa forme sur le sable fin. Car Dorothée est si prodigieusement coquette, que le plaisir d'être admirée l'emporte chez elle sur l'orgueil de l'affranchie, et, bien qu'elle soit libre, elle marche sans souliers. [...].

PAGE 17 LES CODES CULTURELS

1 Le codage des mots

Mots relevés	Significations	Codes
vingt-troisième année	Jeunesse	Identité
Paris	Attrait de la capitale	Identité + code géographique
Rue St-Jacques	À Paris	Codes : géographie parisienne + identité de l'auteur (la chambre)
seul	Paradoxal à première vue mais fréquent dans les grandes villes	Code des relations sociales
boire	Alcoolisme ? Raccourci : il dilapide son héritage	Identité + appartenance (les buveurs !) + code moral
province	Terme dépréciatif pour la France hormis Paris	Identité + code géographique + relations sociales (jugées étriquées)
bas-fonds	Attrait pour ces bas-fonds, Symbole de la vie d'artiste	Identité (sa vie personnelle) + code des relations sociales
désespoir	Inattendu : cf. le spleen, le « mal du siècle »	Identité + appartenance sociale (les victimes du spleen, les poètes maudits...)

révolte	Caractérise les milieux intel-lectuels de l'époque	Code d'appartenance sociale + code éthique (une attitude)
baudelairien	Confirmation des hypothèses précédentes sur la révolte et le spleen.	Code d'appartenance sociale + code éthique + code esthétique

2 Codes d'un texte

1. L'auteur se réfère à trois codes principaux. Celui de la perception du réel apparaît dès la première ligne (*j'ai cru* = illusion perceptive). L'allusion à l'eau glacée et au fond insondable, la vision des rocs à pic à travers l'eau transparente et même les cheveux imaginaires se réfèrent à la perception. Au code géographique se ratta-chent la description d'un lac de cratère devenu glaciaire, les remarques sur l'eau froide, les allusions au guide touristique. L'histoire est largement présente avec le rappel du châtiment imposé par les Vikings récemment christianisés aux femmes adultères et le souvenir du dieu Thor.

2. L'auteur enrichit chacun de ces codes. La perception est saisie dans ses illusions et son acuité, démontrées par une aventure personnelle. L'histoire n'est pas sèche-ment rappelée : le paradoxe du *châtiment chrétien* est souligné. Enfin, la géographie est de nature poétique.

PAGE 19 LES RÉSEAUX DE SIGNIFICATION

1 La notion de femme

Mots et segments	Sens dénoté	Sens connoté
Vers 1	Sa femme n'est plus avec lui	Est-elle partie ? Est-elle morte ?
Vers 2	L'amour peut lui redonner ?	Force de l'amour
Vers 3 et 4	Il serrerait sa femme comme un violon	La femme associée à la musique par son corps et l'inspiration esthétique qu'elle suscite
Vers 5 et 6	Pas de dénotation	Vision subjective : une hallucination née du désir amoureux
Vers 8	Sa femme est repartie	Situation pathétique : son illusion est dissipée brutalement
Vers 11 et 18	Sa femme ressemble à une de ses larmes	Comparaison tardive : cette femme est sa création douloureuse ? Est-ce la véritable ?
V. 13 : ce sage adoré	Il aime beaucoup son visage	Amour
V. 13-14 : (il) n'a pas une parole de reproche	Elle ne lui reproche rien	Très paradoxal puisque c'est elle qui l'a quitté. Se sent-il coupable ? Amours oblatives
Vers 17-18 (deux segments)	L'homme est persuadé que sa femme l'aime	L'amour est immense et irrationnel
Vers 19	L'homme à genoux devant sa compagne	Amour immense et femme divinisée
Vers 20	Il l'accueille à nouveau	L'amour est le plus fort : retour à la sérénité du partage amoureux

Ce champ lexical de femme occupe tout le poème. La femme y est objet d'adoration. Sacrée, un peu à la façon d'une déesse qu'on adore, elle est investie d'une liberté redoutable pour son amant. Elle est au centre de sa vie, indispensable, si bien qu'il se sent comme coupable lorsqu'elle part. Curieusement, il la « reprend » : après tant d'émois, n'est-ce pas le retour à une conception très bourgeoise de la possession et du pouvoir masculin ?

2 Connotations et champ lexical

1. Le poète utilise le mot *femme* dans le premier vers. Les connotations viennent du contexte immédiat et notamment de l'adjectif *absente* : c'est la femme qu'on vient de perdre. Le mot n'est réutilisé qu'au vers 18, à la fin du poème ; il prend une acception d'amours sereines, de fidélité. Un effet d'antithèse naît de la mise en parallèle de ces connotations.

2. Les connotations précédemment étudiées s'insèrent parfaitement dans le champ lexical de femme. Elles l'orientent même sur l'opposition femme divine et adulée/femme bourgeoisement fidèle.

PAGE 21 LA NORME ET LE STYLE

1 La phrase complexe et le style

1. Hugo respecte la norme de la phrase complexe. La proposition principale utilise la possibilité de placer un complément au début et d'admettre des propositions incises (les relatives et les participiales). L'effet de suspense donné par le verbe placé à la fin et, donc, le mouvement ascendant de la période, sont conformes à un choix d'auteur admis par la langue.

2. Le style de Hugo naît du choix des mots et de leur opposition : les premiers, qui décrivent la préparation du bélier, sont techniques mais le *hurlement* ramène à l'expression spontanée et effrayante de quelque bouleversement humain. La vérité des propositions et leur ordre s'accordent à ces préparatifs appliqués et à ce cri qui ne jaillit qu'à la fin. Voici leur succession : début de la principale, relative, deux participiales, conjonctive de but, élément de la principale, relative, fin de la principale.

2 Un texte moins son style

1. Voici le texte de Chateaubriand, réduit à la norme :
Cependant l'obscurité redouble : il y a des nuages bas dans les bois. Le ciel est occupé par des éclairs en forme de losanges. Un vent d'ouest très fort amène sans arrêt des nuages, on a l'impression de voir un ciel nouveau et des campagnes ensoleillées. Quel spectacle affreux et magnifique ! La foudre incendie les bois ; les flammes s'étendent, les étincelles et la fumée, abondantes, montent. Le ciel est toujours soumis à l'orage.

2. Comme on le constate, l'effort pour supprimer le style aboutit à un texte sans caractère, plus géographique que lyrique, dénaturé. C'est la preuve que les écarts ne sont pas une simple fioriture rhétorique. Ils appartiennent à la signification. Ici, ils transfigurent une scène somme toute banale en lui donnant une dimension cosmique et métaphysique. Dire que l'équation de ce texte est T (ce texte) = TC (texte de Chateaubriand) - S (le style de Chateaubriand) relève du non-sens.

PAGE23 LES REGISTRES DE LANGUE

1 Les trois registres

Registre médian	Registre familier	Registre soutenu
Avoir très froid	cailler	être mort de froid
Manger	bouffer	se sustenter
Regarder quelqu'un	zyeuter	considérer
Battre quelqu'un	dérouiller	rosser

Emploi des mots
On s'est caillés drôlement en attendant devant la maison.
Si vous voulez manger dehors, il faudra m'aider à sortir la table.
Dès que vous aurez terminé, vous pourrez vous sustenter.
Il le considérait d'un œil narquois.
T'as fini de la zyeuter ? Tu veux sa photo ?
Pierre, excédé, l'a d'abord pris par les épaules puis il l'a rossé comme un malotru.

2 Une même information et trois registres

1. Registre médian. Deux enfants de 13 et 15 ans ont tiré sur une voiture. Ils ont uti-lisé deux carabines 22 long rifle volées. Avertis par le conducteur, légèrement blessé, les gendarmes ont arrêté les jeunes coupables.

2. Registre familier. Deux ados, presque des gosses — 13 et 15 ans — ont tiré sur une voiture. Avec deux carabines 22 long rifle s'il vous plaît. Ils les avaient sans doute volées. Comme, par chance, il n'a attrapé qu'un petit bobo, le conducteur de la voi-ture a pu avertir les pandores du secteur. Ils ont vite mis les loubards à l'ombre.

3. Registre soutenu. Deux adolescents, respectivement âgés de 13 et 15 ans, ont tiré sur une voiture avec deux carabines 22 long rifle qu'ils avaient dérobées. Alertés par le pilote de l'automobile, qui n'était que légèrement atteint, les gendarmes ont tôt fait d'appréhender les jeunes délinquants.

PAGE25 LES MÉTAPLASMES

1. Métaplasmes du texte

Type de métaplasme	Effets
• Suppression de phonèmes – à la fin d'un mot (vers 1, 10, 11, 17, 25, 26, 28) = apocopes ;	Imitations de l'oral : effet de réel, poésie populaire, chanson.
– au début : *limenter* (vers 13 et 20), *lors* (*pour alors*) au vers 18 ;	Cocasserie, jeu avec le signifiant.
– à l'intérieur (vers 15 et 22 : *c't' effet*)	Parler populaire.
• Répétition de l'onomatopée *chu* (v. 8, 12, 13, 19, 20) comme un leitmotiv	Atmosphère cocasse et ludique.

2. Fin du texte d'A. Jarry

Mais il montra bientôt...
Mais il montra bientôt, de par le
[niveau d'eau,
Montra, monta, montra, monta, tra
[ta, ta tra...
Bientôt montra son doigt de par le
[niveau d'eau.
C'n'était qu'un tout p'tit doigt, mais
[un doigt, ça se voit,
C'n'était qu'un tout p'tit doigt, mais
[tous les doigts ça se vaut.
— Hélas, pauv'petit doigt !
Ho ! ho ! ho ! ho !
— Vous r'mettez ça ? dit la Raideur.

Lors le mécanicien lui dit : Je
[comprends bien
D'quoi s'agit-il, jeune homme ? est-ce
[d'aller plus loin ?
Mais l'mouss montrait toujours son
[doigt au bout d'sa main.

— Hélas ! pauvre gamin !
Ho ! ho ! ho ! ho !

— Vous r'mettez ça ? dit Benne-de-
[Bique.
On entend une voix faible comme un
[soupir :
Mécanicien d'malheur, fais-moi donc
[ressortir,
Sortir de la chaudière
Comm'du ventr'de ma mère.
Dépos'-moi-z-à-van-terre
Si t'es pas malagauche
sur le perré de gauche
Qu'est pas le marchepied
Au plus bel escalier.

Par le tuyau, chu, chu, si tu n'as
[d'autre idée,
Par le tuyau, chu, chu, chu, de la
[cheminée —
Fais-moi donc ressortir, je me crois
[en enfer —
Ça la ramonera
Et moi ça m'arrang'ra. [...]

A. Jarry.

PAGE27 MÉTAPLASMES PAR SUPPRESSION

1 Transformation d'un texte
Voici le texte transformé :
Il était neuf heures du mat. Avant de se rendre à l'expo à moto, Julie et Luc avaient le temps de prendre leur habituel déca.
« Justement, voilà un troquet, dit Luc.
— Tu t'fous de moi, répondit Julie. T'as vu l'allur'du garçon ? »

2 Création d'un lipogramme
Un jour que Paul garde ses moutons et ses chèvres, un vacarme effrayant se déclenche. Affolées, les bêtes partent. Et voilà qu'un bouc fonce sur Paul. Le berger, fou de peur, commence à détaler. Le bouc le harcèle et s'amuse à le mordre.

PAGE29 MÉTAPLASMES PAR ADJONCTION OU RÉPÉTITION

1 Les métaplasmes classés
Texte 1. Les allitérations (le P), les assonances (le i répété dix fois) et la consonance (au vers 1, *képi*, *dépit* et *répit* riment) attirent l'attention sur les signifiants : les mots sont davantage des objets sonores que des signes porteurs de sens et ce joyeux tohu-bohu a des connotations dépaysantes. Il est en effet bizarre ce ciel avec le képi, le dépit, l'île.

Texte 2. Les allitérations sont liées aux paronomases : *manèges, déménagent, manèges, ménageries, ménage, manège...* Max Jacob crée ainsi un monde un peu farfelu, ludique, ce qui n'exclut pas la réflexion mélancolique : *je n'ai plus... l'âge.*

2 Un dialogue comique

— Germain, répondit pondit (écholalie) la petite Marie, c'est donc pas des idées puisque c'est décidé (paronomase) que vous m'aimez ?

— Ça te fâche mais c'est pas ma faute. Et si toi tu pouvais z-aussi (pataquès) m'aimer, je serais trop content. Mais je l'amérite pas (prosthèse) non. Voyons, regarde-moi, Marie, ma reine, ma rose (allitération du R), tu me trouves donc tête de pioche, gauche, moche enfin (consonances) ?

— Non Germain, répondit-elle, vous êtes plus biau (épenthèse = ici parler régional) que moi.

PAGE 31 PERMUTATIONS ET SUBSTITUTIONS

1 Relevé de métaplasmes

Phrases	Métaplasmes	Effets
1	Permutation de syllabes qui tend à la contre-pèterie : *solution/pollution, sage/page*	Poésie ludique et fantaisiste
2	Anagramme : *crâne/nacre*	Provoque une métaphore (*étoile de nacre*)
3	Permutation de syllabes : *incarnat/internat, incarna/cerna*	Effets d'étrangeté : du jeu des mots au jeu des images
4	Permutation de syllabes et transcription phonétique en d'autres mots	Jeu assez subtil. Atmosphère surréaliste
5	Transcription en d'autres mots : *saint Sébastien/seins ses bas se tiennent*	Désacralisation du saint, humour
6	Permutation de syllabes et transcription en d'autres mots : *corbeaux/beaux corps*	Images surréalistes
7	Substitution de notes de musique au mot *dorés* (do, ré)	Cocasserie, poésie ludique

Les contrepèteries

1. Décodage des contrepèteries : ôtez-vous, les canards ⇨ hâtez-vous les connards ; il lui a passé le mot ⇨ il lui a massé le pot ; pouvez-vous danser en calèche ⇨ pouvez-vous lécher en cadence ; Pierrot a peur des fèves acides ⇨ peur des fesses avides.

2. Effets produits : le rire, qui provient de la rupture des tabous, de la cocasserie de la situation et de la décharge psychique provoquée par la découverte du deuxième sens.

1 Transformation de proverbes

Le petit vient en mangeant.
Il faut qu'une porte soit toute verte ou fermée.
Les morts ont des oreilles.
La fortune sourit aux eaux des cieux.
Le raisin du plus fort est toujours le meilleur.
Il faut lever son lange seul en famille.

2 Créer des calembours

Tu iras chercher le pain ! — Un pin à combien de branches ?
Elle lui a donné son blanc sein (blanc seing).
Ce n'est pas un petit sein (saint).
Il s'est monté le coût (= il a exagéré le prix).
Il a rendu cou pour cou (échange macabre).
J'ai perdu : le dais est tombé.
Savez-vous jouer au dey ?

3 Calembours par homophonie

Le principe ôté (principauté) diminue la morale.
Il furetait dans les cous lisses (coulisses).
Hercule avait l'haltère native (alternative).
Les fées mères (l'éphémère).
Le pont poney (pomponné) peut se déplacer.

4 Calembours par polysémie

Il a sauvagement exécuté la sonate.
Il vaut mieux écouter la vache (celle qui signale les écueils) que d'essayer de
[la traire.
Tout facteur est un homme de lettres.
Les cloches ont sonné sur tous ces fromages.
Il est mort absorbé par son travail.

1 Les forgeries

Le poète utilise quatre forgeries : *je lorulote, je débagote, je gorenflote, je travaillote.*
La première peut évoquer les cris du loriot et de la hulotte, la seconde l'art de dire
n'importe quoi (le bagout), la troisième les mauvaises habitudes alimentaires du
goret (qui « flotte » d'ailleurs rarement = ironie), la quatrième un travail léger d'ama-
teur. C'est le contexte qui permet d'orienter ces définitions par l'atmosphère qu'il
crée : excès de toutes sortes, fantaisie, liberté.

2 Création de cinq mots-valises

— Un maraboutentrain = marabout très joyeux. *Phrase* : le maraboutentrain sortit de
son mausolée pour imiter les bruits du train.
— Un amirâleur = un amiral qui râle, qui n'est jamais content. *Phrase* : Cet amirâleur
distribuait des punitions à chaque colère.

- *Un escargaufre = un escargot cuisiné comme les gaufres. Phrase* : Il n'a pas mangé son escargaufre sous le prétexte qu'on le lui servait sans coquille.
- *Un persanguinaire = un Persan qui ne pense qu'à tuer. Phrase* : ce Persan est cruel, dites-vous ? Quel euphémisme ! c'est un persanguinaire !
- *Un Zorrobot = un Zorro qui agit mécaniquement. Phrase* : Grâce à la mise au point de ce nouveau Zorrobot, le shérif put dormir tranquille.

PAGE 37 LES CALLIGRAMMES

1 Une scène en calligrammes

L. Berman, A. Quesemand, *Le Théâtre à bretelles*

2 Trois calligrammes séquentiels

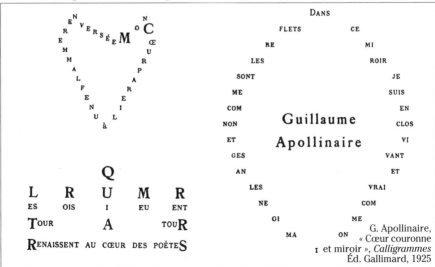

G. Apollinaire,
« Cœur couronne
et miroir », *Calligrammes*
Éd. Gallimard, 1925

1 Analyse de logos

Signification de l'ensemble : grâce à Leroy Merlin, les constructions les plus hardies sont possibles

Éléments constitutifs	Significations
– Les mots *Leroy Merlin pour réussir*	C'est le slogan
– Un idéogramme symbolique	Évoque la pyramide, c'est-à-dire la construction, le bâtiment (par synecdoque)
– La couleur verte	Symbole de l'espérance
– Typographie	Deux types de caractères. Disposition originale en triangle

2 Invention de logos

1. Nom + idéogramme symbolique : le logo de Guerlain unit le nom de la firme et le flacon stylisé

2. Nom + idéogramme symbolique + élément géométrique : Clairalfa + l'idéogramme de Clairefontaine (la fille et la cruche) + le triangle bleu.

1 Claude Roy : Petit Matin

1. Le parallélisme phonique se manifeste dans le rythme régulier de l'alexandrin, des césures, des rimes croisées (abab) et aussi dans les anaphores : *je te reconnaîtrai* (3 fois), *les oiseaux* (2 fois). Noter aussi les allitérations (les *s* de *aux algues*, de *sel*, de *aux herbes*, les *p* du vers 3).

2. Le parallélisme grammatical se fonde sur l'utilisation de phrases simples construites de la même façon : sujet + verbe + compléments (ou propositions com-pléments). Les suites de syntagmes « entrent » dans les alexandrins de telle sorte que parallélisme grammatical et parallélisme phonique se doublent.

2 Terminer le poème

Voici la fin du poème de C. Roy :

Je t'attendrai en haut de la plus haute tour
où pleurent nuit et jour les absents dans le vent
Quand les oiseaux fuiront je saurai que le jour
est là marqué des pas de celle que j'attends
Complice du soleil je sens son corps mûrir
de la patience aveugle et laiteuse des fruits
ses froides mains de ciel lentement refleurir
dans le matin léger qui jaillit de la nuit.

C. Roy, *Poésies,* Gallimard, 1946

PAGE 43 LE VERS ET LA RIME

1 Analyse d'une strophe

1. Disposition des rimes : abab. Ce sont des rimes croisées. Effets : alliance insolite entre *effeuillée* et *agenouillée*, antithèse *fleur/douleur.*

2. Les rimes sont suffisantes puisqu'il y a homophonie de la voyelle finale accentuée et de la consonne d'appui.

3. L'auteur abandonne la règle classique du refus des rimes catégorielles puisqu'elle fait rimer deux adjectifs et deux noms.

2 Compléter et terminer un poème

Voici le poème de Verlaine complété et terminé :

PROMENADE SENTIMENTALE

Le couchant dardait ses rayons suprêmes
Et le vent berçait les nénuphars blêmes ;
Les grands nénuphars entre les roseaux,
Tristement luisaient sur les calmes eaux.
Moi, j'errais tout seul, promenant ma plaie
Au long de l'étang, parmi la saulaie
Où la brume vague évoquait un grand
Fantôme laiteux se désespérant
Et pleurant avec la voix des sarcelles
Qui se rappelaient en battant des ailes
Parmi la saulaie où j'errais tout seul,
Promenant ma plaie ; et l'épais linceul
Des ténèbres vint noyer les suprêmes
Rayons du couchant dans ces ondes blêmes,
Et les nénuphars, parmi les roseaux,
Les grands nénuphars sur les calmes eaux.

PAGE45 LE VERS ET LA MESURE

1 1. Mètre utilisé : l'alexandrin.

2. Deux diérèses : au vers 1, *coquelicot* compte pour 4 pieds, ce qui crée un effet d'allongement du vers par prononciation méridionale ; au vers 2, *réjouit* compte pour trois pieds, ce qui a pour effet d'insister sur le phonème aigu et perçant i.

3. Les E muets.

Vers	Mots	Effets
3	Lettre jaunie	Devant consonne, le E muet n'est pas élidé : effet de raccourcissement du vers
4	aïeule fit	Même cas, même effet
5	tabatiè*re où*	Devant voyelle, le E muet est élidé : effet d'allongement du vers avec léger arrêt entre les deux mots
6	petite table	Même cas qu'aux vers 3 et 4
7	raviss*ent*	Le E muet n'est pas élidé dans ce cas (terminaison – ent). Donc, effet de raccourcissement contrarié par l'arrêt sur le point
8	n'êt*es* pas	Même cas qu'au vers précédent

2 De 7 à 8 pieds : Il me plaît le beau temps de Pâques/
De 9 à 10 pieds : Il fait sombre, fils, voleur d'étincelles !/
De 11 à 12 pieds : Bienheureux, j'allongeai les jambes sous la table./

PAGE47 LE RYTHME DU VERS

césure

1 Tout à coup/, comme atteints// d'une ra/ge insensée,/
Ces homm/es, se levant// à la mê/me pensée,/
Portent la ha/che au tronc//, font crou/ler à leurs pieds/
Ces dô/mes, où les nids// s'étaient/ multipliés ;/
Et les bru/tes des bois/, sortant/ de leurs repaires/,
Et les oiseaux/, fuyant// les ci/mes séculaires,/
Contemplaient/ la rui/ne avec un œil/ d'horreur/.

Lamartine, *Jocelyn*, 1936

2

Vers	Schéma rythmique	Types de rythme
1	3 + 3 + 3 + 3	Régulier
2	2 + 4 + 3 + 3	Croissant / Régulier
3	4 + 2 + 3 + 3	Décroissant / Régulier
4	2 + 4 + 2 + 4	Symétrique (et croissant)
5	3 + 3 + 2 + 4	Régulier / Croissant
6	4 + 2 + 2 + 4	Décroissant / Croissant
7	3 + 3 + 4 + 2	Régulier / Décroissant

3 Le rythme est toujours binaire mais la combinaison de types rythmiques variés convient aux idées exprimées : destruction folle des forêts par les hommes, effarement des animaux.

PAGE49 LES RUPTURES DE RYTHME

1 Justification des cinq schémas rythmiques

Les deux réponses aux questions sont données dans ce tableau

Vers	Schémas rythmiques	Justifications
1	5 + 1/2 + 4	Rythme d'abord décroissant pour la mort des continents puis croissant pour l'arrivée des *houles*
2	4 + 2/2 + 4	Rythme décroissant puisque c'est *le dernier frisson*, puis croissant pour le palpitement
3	1 + 5/6	Montée des *houles* (rythme très ascendant)
4	3 + 3/4 + 2	Rythme symétrique puis descendant pour « poser » le *rouge Sahil*
5	2 + 4/2 + 4	Rythme doublement ascendant avec symétrisation pour le surgissement de ce feu et de cet œil tragique

2 Rejets et contre-rejets

La désarticulation rythmique convient à l'évocation de cette scène d'auberge sur fond de fugue et de description réaliste. On compte quatre rejets : *aux cailloux des chemins* (v. 2), *de beurre* (v. 4), *verte* (v. 6), *de la tapisserie* (v. 7). Au vers 3, Rimbaud utilise un contre-rejet : le *je* placé en fin du premier hémistiche appartient à la phrase qui se poursuit dans le second hémistiche et se termine au vers suivant.

PAGE51 L'HARMONIE POÉTIQUE

1 Baudelaire : Parfum exotique

Premier quatrain : 31 consonnes associées à 29 voyelles claires donnent une impression de douceur et de langueur à peine atténuée par 6 voyelles sombres.
11 consonnes momentanées et 16 voyelles éclatantes tempèrent tant de douceur et de paix par une sorte d'élan.
Deuxième quatrain : 32 consonnes continues associées à 33 voyelles claires : c'est la même dominante de douceur et de langueur que dans le premier quatrain. Et que d'éclats en moins ! 13 voyelles éclatantes seulement dont l'élan est voilé par les sombres /u/ et /ə/.

2 Rédaction de dix phrases

Prédominance de phonèmes	Effets recherchés	Phrases
Voyelles aiguës	Acuité des impressions	Une bise continue, froide et furieuse, courait vers la lune et les nuées.
Voyelles claires	Douceur, joie	Elle aimait les matins d'été et leur légère chaleur.
Voyelles éclatantes	Sentiments et actions fortes	Les attaquants partent à l'assaut de la cage adverse dans la grande clameur du stade.
Voyelles sombres	Gravité, bruits assourdis	Moulée dans sa longue jupe, un manteau sur les épaules, avec ce chapeau rond tout rouge, elle jouait bien son rôle.

Prédominance de phonèmes	Effets recherchés	Phrases
Consonnes sourdes	Ironie, sarcasme, menace	Dis, petit mec, tu te crois tout permis ?
Consonnes sonores	Bruits sonores	Tu as beau dire, Gaston au banjo, il nous donne de belles gammes !
Consonnes nasales	Mollesse, douceur	Ce mendiant murmurant une mélodie monotone et minable.
Consonne liquide L	Liquidité, douceur	Lola au teint de lait, lascive et languissante, quel livre lisez-vous ?
Consonne vibrante R	Application, son continu	Le riche horloger a créé avant-guerre un bijou d'argent aux armes de La Rochelle.
Consonnes spirantes	Douceur, glissements, souffles	Le vieil Hossegor, celui de la nostalgie, c'étaient des allées sinueuses, des villas cachées dans des jardins délicieux.

PAGE 53 · DU VERS AU POÈME

1 Paul Eluard : Chanson complète

1. Le distique a pour thème le soir et pour sous-thèmes le « feu du soir » et la fraîche forêt. Cette unité sémantique est renforcée par le parallélisme des deux propositions coordonnées : même sujet et même verbe suivi de compléments.

2. Le tercet est composé d'un alexandrin, d'un vers impair de 9 pieds et d'un octosyllabe. Cette asymétrie se justifie par l'unité et la diversité cosmiques évoquées : la plaine, la neige et la mer y conjuguent leurs pures images.

3. Le thème du quintil (strophe de 5 vers) est la ville. Plusieurs sous-thèmes se succèdent : pierres, bois, trottoirs, place. L'intérêt du quintil vient des propos (ce qu'on dit du thème), qui permettent au poète de caractériser cette ville inattendue.

2 Deux tercets complétés

Voici que montent les aubes, d'une blancheur/
Éclatante, au-dessus d'un fouillis d'anémones/
Lumineuses, dans la matinale fraîcheur…/

Pour entrer dans la danse légère d'avril,/
Vos yeux ont pris la douceur des clairs de lune,/
Et leur lumière brille et joue entre les cils./

P. de la Tour du Pin, *La Quête de joie*, Gallimard, 1939

PAGE 55 · L'EXPRESSION POÉTIQUE LIBRE

1 Les vers libérés dans un poème de Guillevic

1. On reconnaît les vers libérés à leur longueur inégale (3,7,4,4,2,10,3,8,8,8,8,9,6,8, 6), à l'usage de mètres pairs et impairs, à l'absence de rimes. Toutefois, un rythme régulier apparaît du vers 8 au vers 11 avec les octosyllabes et les vers 3 et 4, 9 et 11, 13 et 14 assonent.

2. Schéma rythmique du poème

Vers	Schéma rythmique	
1	1 + 2	Rythme binaire croissant
2	3 + 4	Rythme binaire croissant
3	2 + 2	Rythme binaire régulier
4	2 + 2	Rythme binaire régulier
5	2	Pas de rythme
6	4 + 2 + 4	Rythme ternaire
7	3	Pas de rythme
8	3 + 5	Rythme binaire croissant

Vers	Schéma rythmique	
9	4 + 4	Rythme binaire régulier
10	6 + 2	Rythme binaire décroissant
11	6 + 2	Rythme binaire décroissant
12	3 + 4 + 2	Rythme ternaire
13	3 + 3	Rythme binaire régulier
14	4 + 4	Rythme binaire régulier
15	4 + 2	Rythme binaire décroissant

3. Le texte est très ironique et très démonstratif, à première vue plus proche de la satire que de la poésie au sens lyrique. La prose pouvait convenir à ces idées mais l'avantage de la forme poétique libérée vient de la possibilité d'accorder une strophe à chaque proposition importante, de marquer les oppositions (strophes 3 et 4), de supprimer quelques connexions et d'utiliser la phrase nominale des vers 3 et 4.

2 Transformation d'un texte

Voici un exemple de transformation en poème libéré :

Est-ce un lieu habité ici, est-ce un
[désert ?
Quelles sont donc ces rues et ces
[hautes demeures ?
Un homme a soif et nul ne lui
[apporte à boire
Je m'écrie « J'ai faim », et nulle porte
[ne s'ouvre.

Villes ! On vous a bâties sur des
[terres arides
Où le chant est banni, où la haine
[triomphe,
Ni pain, ni sel pour le voyageur égaré
Ni doux regard de femme pour
[l'homme hanté d'amour.

I. Voronca, *Contre Solitude*, D.R., 1946

PAGE 57 RYTHMES DE LA PROSE

1 Le rythme du texte d'A. Gide

1. Les phrases sont composées ou complexes. Le rythme naît des rapports de longueur entre les propositions constitutives et on peut donc proposer le schéma :
Phrase 1 :   16 syllabes + 8 syllabes
Phrase 2 :   9 syllabes + 13 syllabes + 12 syllabes
Phrase 3 :   10 syllabes + 25 syllabes
Phrase 4 :   6 syllabes + 6 syllabes + 6 syllabes + 14 syllabes + 22 syllabes + 14 syllabes + 11 syllabes.

2. Effets de ces rythmes. Le rythme binaire décroissant de la phrase 1 convient à l'expression... du creux à l'estomac. La phrase 2 a un rythme ternaire mais les mesures s'équilibrent : l'auteur fait le point. La phrase 3, ascendante, traduit le suspense : comment sera-t-il accueilli ? La longue phrase 4, de rythme régulier au début, prend ensuite une allure croissante pour l'expression des besoins du narrateur. La fin, de rythme décroissant, convient à la patience résignée.

3. La dernière phrase est une période puisqu'elle est très longue, que trois compléments du verbe *racontai* s'y succèdent. Comme l'idée principale (la demande d'un repas) est située à peu près au milieu, cette période est pyramidale, avec une protase (propositions 1 à 4) et une apodose (propositions 6 et 7).

2 Rédaction de phrases

Voici un texte d'Aragon sur le même thème. Le rythme y est binaire ou ternaire

Quand, dans une ville de province, un chien et voici déjà le grand jour, dans les rues vides soudain assis sur ses pattes de derrière, rejette ses oreilles à la cantonade et lève vers le soleil, semble-t-il, une gueule glapissante pour hurler indéfiniment à la mort, le commis du magasin de chapeaux et de couronnes mortuaires est tout joyeux de trouver dans la monotonie d'une vie misérable une raison plausible de se mettre les poings aux hanches sur le pas de la porte de ce magasin. Il hurle à la mort, ce chien, c'est que dans le monde matinal il y a quelqu'un qui trépasse avec minutie, ou bien il nous faudrait douter de la sincérité canine, et le chien, ce grand signe mythique, ne nous a jusqu'à présent jamais donné lieu de manquer de confiance en sa prévoyance cynique. Alors le commis du double comptoir où se pourvoient contre les intempéries et l'ingratitude les vivants et les morts de ce gros chef-lieu de canton, le commis se prend à supputer quel citadin vient de passer de l'une à l'autre catégorie de sa clientèle. Il essaye un peu la réalité de la mort de chacun. Ainsi...

Aragon, *Le Paysan de Paris,* Gallimard, 1926

PAGE 59 VOCABULAIRE ET STYLE

1 Texte de Stendhal

1. Les noms les plus concrets concernent les éléments de la maison (porte-fenêtre, salon, jardin, porte d'entrée) et le portrait des deux personnages : tous les noms sont à citer, même si *grâce* est moins concret que *chemise* ou *ratine*. Cet emploi de termes concrets proches du réel se justifie pleinement puisque le texte est descriptif.

2. Les connotations jouent un rôle énorme. Dès le début, la timidité de Madame de Rênal et sa peur des regards masculins sont évoquées : elle ne reprend sa nature *vive* et *gracieuse* que loin d'eux. Or voici qu'un homme se présente. L'auteur passe à la focalisation interne, c'est-à-dire qu'il le dépeint du point de vue de Madame de Rênal : plus elle le détaille et plus elle est rassurée puisqu'il ne ressemble guère aux hommes qu'elle craint. En effet, s'il est un *paysan* (connotations de rudesse, de virilité grossière pour cette aristocrate) il est *jeune, encore enfant*. Mieux, sa *pâleur* et ses *larmes à peine séchées* le fragilisent. Enfin, les adverbes *bien* et *fort* marquent les efforts de présentation qu'il a faits : il est touchant et déjà si sympathique ! On le voit, sans la charge connotative des mots cités, le texte serait sec et froid.

2 Le style retrouvé

Voici le texte de La Bruyère :

Le fleuriste a un jardin dans un faubourg ; il y court au lever du soleil, et il en revient à son coucher. Vous le voyez planté et qui a pris racine au milieu de ses tulipes et devant la Solitaire ; il ouvre de grands yeux, il frotte ses mains, il se baisse, il la voit de plus près, il ne l'a jamais vue si belle, il a le cœur épanoui de joie ; il la quitte pour l'Orientale ; de là, il va à la Veuve ; il passe au Drap d'or ; de celle-ci à l'Agathe, d'où il revient enfin à la Solitaire, où il se fixe, où il se lasse, où il s'assied, où il oublie de dîner : aussi est-elle nuancée, bordée, huilée, à pièces emportées.

PAGE 61 CARACTÉRISATION ET STYLE

Un texte de Hugo

1. Procédés de caractérisation

Procédés de caractérisation	Effets
Emploi de l'attribut *extraordinaire*	Jugement de l'auteur
Emploi de l'adjectif numéral *deux*	Précision
Emploi d'adjectifs épithètes	La scène est spatialement située (*élevée, centrale, inférieure, grande*) et son caractère *extraordinaire* est précisé (*désordonnée, furieuse, sombre, ardente, argentée*)
Emploi de verbes	On visualise la scène
Emploi de noms : si certains ne font que déterminer, d'autres caractérisent à travers des écarts de style (personnification de la flamme, métaphores du lambeau, des trèfles des gueules de monstres)	Caractère extraordinaire et visionnaire
Emploi de trois relatives	Caractérisation par emboîtement

2. Caractérisation et style

La grande variété des procédés, l'importance du vocabulaire optique, la précision de la description et les métaphores donnent à ce texte la puissance et la vérité d'un tableau. C'est le procédé de l'hypotypose : le lecteur est transporté au Moyen Âge,

PAGE 63 LA SYNECDOQUE

1 Analyse de synecdoques

Synecdoques	Fonctionnement	Effets
liane	Particularisante (= les lianes)	Procédé rhétorique du style noble
ronce	Particularisante (= les ronces)	Procédé rhétorique du style noble
mur	Particularisante (= les murs)	Procédé rhétorique du style noble
tuile	Particularisante (= les tuiles)	Procédé rhétorique du style noble
bure	Particularisante (= habits de bure)	Plus concret
gros drap	Particularisante (= habits de gros drap)	Plus concret
toile de jute	Particularisante (= habits en toile de jute)	Plus concret
aubergine	Particularisante (= une femme en uniforme de cette couleur)	Image plaisante et gouailleuse

2 Employer des synecdoques

Voici le nouveau texte : les mots en italique du premier sont remplacés par des synecdoques

Les soldats verts avançaient dans la pénombre. Paul, l'oreille attentive, les a entendus venir. Il le savait : ils venaient porter chez nous le fer et le feu. Comment opposer au glaive le rameau d'olivier ? Paul a réveillé ses amis. Il est sorti le premier, suivi par le Normand et l'Alsacien. Mieux valait risquer sa peau !

PAGE65 LA MÉTONYMIE

1 Analyse de métonymies

Métonymies	Fonctionnement	Effets
haute couture	Porteurs (les mannequins)/objet	Concret, bonne image de marque
tombés... pommes	Cause (il s'est évanoui) / effet	Métonymie usuelle, registre familier
table ronde	Rapport de contiguïté (remplacé : les participants)	Métonymie usuelle
grève des trains	Rapport de contiguïté (remplacé : les conducteurs)	Métonymie usuelle
aquilon	Cause (= le nord) / effet	Métonymie poétique
couchant	Cause (= l'ouest) / effet	Métonymie poétique

2 Continuer un poème
Voici la suite du texte de Desnos :

Et le feu là où vous pensez
Mais non quoi il avait le feu au
[derrière
C'était un drôle de copain
Quand il prenait ses jambes à son cou
Il mettait son nez partout
C'était un charmant copain
Il avait une dent contre Étienne

À la tienne Étienne à la tienne mon
[vieux
C'était un amour de copain
Il n'avait pas sa langue dans la poche
Ni la main dans la poche du voisin
Il ne pleurait jamais dans mon gilet
C'était un copain
C'était un bon copain.

R. Desnos, *Corps et Biens,* Gallimard, 1953

PAGE67 LA MÉTAPHORE

1 Analyse de métaphores

	raz-de-marée	flammes	traces d'or	dans la poche
Métaphores directes	+			+
Métaphores annoncées		+	+	
Comparés	victoire écrasante	rayons du soleil	rayons du soleil	auditoire complètement dominé
Sèmes communs	bouleversement gigantisme	chaleur, rayonnement	couleur jaune, reflets	pas de liberté
Effets	caractère inéluctable, naturalisation du fait	atmosphère tragique	richesse de la vision, métaphore un peu usée	réification de l'auditoire

2 Créer des métaphores
Île rocheuse → caillou − pu changer → apprivoiser, apitoyer − abandonnée → naufragée − se rattacher → s'amarrer − dépendre → elle s'est arrimée − protectrice → duègne − envahir → harponner.

PAGE 69 L'UNIVERS DE LA MÉTAPHORE

1 Analyse de métaphores

Métaphores	Rapport comparé / comparant	Effets des métaphores
Jeunes loups	Homme / animal	Agressivité
bronzée	Femme / alliage métallique	Métaphore courante
citrouille joufflue	Homme / végétal	Pittoresque, caricatural
poisson	Homme / animal	Pittoresque, caricatural
trésor	Abstrait / concret	La poésie est précieuse, inestimable
perle	Abstrait / concret	La poésie est précieuse, inestimable
bûcheron	Homme / force de la nature	Métaphore très originale, personnification

2 Inventer et employer 9 métaphores

1. Selon le rapport inerte/vivant

Dans le soir, la montagne devient menaçante.

Des nerfs d'acier mais une volonté éteinte : c'était vraiment contradictoire.

L'abeille, pépite vive sur la corolle, est ivre d'été.

2. Selon le rapport homme/animal

Cette immonde vipère a encore lâché du venin.

Dès qu'il est sur le plateau, il redevient une bête de cinéma.

Les moustiques gesticulaient pour le narguer.

3. Selon le rapport homme/nature

Plein midi : un soleil doux lèche paresseusement les murs.

Les premières gouttes s'écrasèrent bientôt sur la vitre.

La lumière assourdie frissonnait à travers les branches.

PAGE 71 LES RÉSEAUX MÉTAPHORIQUES

1 Analyse de métaphores

1. et 2. Les trois métaphores

Métaphores	Comparés	Effets
orage	désir amoureux	puissance du désir, image naturelle
a éclaté	s'est révélé	soudaineté, spontanéité du désir
joli fruit	Sanguine, nom de la femme	connotations de l'été, de la joie, de la beauté

3. Le filage

La métaphore de *l'orage* est continuée par celle de l'éclatement : l'orage évoque bien sûr l'éclair et le tonnerre. La métaphore du *joli fruit* est annoncée par la comparaison érotique entre la robe et l'écorce d'orange, les boutons de nacre et les pépins : c'est un procédé de filage par relais entre métaphores et comparaisons.

4. Deux réseaux lexicaux interfèrent, celui d'orage et celui de fruit. En effet, c'est Sanguine nue qui symbolise l'orage et c'est dans l'amour que se conjuguent les images du fruit et des éclairs.

2 Compléter un texte

Voici le texte complété :

La mer était extraordinaire. Il semblait que l'eau fût incendiée. Aussi loin que le regard pouvait s'étendre, dans l'écueil et hors de l'écueil, toute la mer flamboyait. Ce flamboiement n'était pas rouge ; il n'avait rien de la grande flamme vivante des cratères et des fournaises. Aucun pétillement, aucune ardeur, aucune pourpre, aucun bruit. Des traînées bleuâtres imitaient sur la vague des plis de suaire. Une large lueur blême frissonnait sur l'eau. Ce n'était pas l'incendie, c'en était le spectre.

V. Hugo, Les Travailleurs de la Mer

PAGE 73 LES ATTÉNUATIONS

1 Analyse d'atténuations

Phrase 1 : la litote est liée à l'ellipse de la « première chose ». Comme elle s'étend sur deux phrases, il faut parler d'exténuation. L'idée remplacée est : « voici la première, celle que nous vendons ». Effets : ironie, fausse modestie, sourire complice.

Phrase 2 : la litote est fort ironique et le remplacé est un personnage de lâche.

Phrase 3 : dans cette litote humoristique à valeur métonymique, le terme remplacé est *homme stupide*. Effets : rapport métonymique entre la cause (la bêtise) et sa manifestation (pas d'invention !), concrétisation.

Phrase 4 : euphémisme qui dissimule un état de crise. L'usage en est courant dans le monde d'aujourd'hui.

Phrase 5 : à la place de *halte de huit siècles*, il faut comprendre *très longue occupation*. La litote est de nature humoristique : le locuteur feint de confondre halte de nomades et occupation guerrière.

2 Transformation d'un texte

Voici le texte originel, caractérisé par la sobriété des moyens stylistiques :

Le petit garçon mit sa main dans celle de son père sans s'étonner. Pourtant il y avait longtemps, pensait-il. On sortit du jardin. Maman avait mis un pot de géranium à la fenêtre de la cuisine, comme chaque fois que papa sortait. C'était un peu drôle. Il faisait beau, – il y avait des nuages, mais informes et tout effilochés, on n'avait pas envie de les regarder. Alors le petit garçon regardait le bout de ses petits souliers qui chassaient devant eux les graviers de la route. Papa ne disait rien. D'habitude il se fâchait quand il entendait ce bruit-là.

Vercors, Ce jour-là, Albin Michel, 1951

PAGE 75 LES EXAGÉRATIONS

1 Hyperboles et adynatons

Ils se sont rués à l'assaut : hyperbole et métaphore guerrière. Effet : le sport, c'est un peu la guerre.

Prix invraisemblables : hyperbole courante, proche d'un adynaton.

Le géant roumain : hyperbole sportive et métaphore souvent utilisées mais est-on convaincu ?

Crucifie le Racing : hyperbole et métaphore. Très proche d'un adynaton. Effets : c'est un écart bien facile, qui fait sourire.

Les deux derniers vers de *La Belle Matineuse* sont fondés sur l'hyperbole galante : Philis est plus belle que le soleil ! Effets : préciosité, style emphatique.

2 Compléter un portrait

Voici le texte originel :

Le baron Narcisse de Saint-Auréol portait culottes courtes, souliers à boucle très apparente, cravate de mousseline et jabot. Une pomme d'Adam, aussi proéminente que le menton, sortait de l'échancrure du col et se dissimulait de son mieux sous un bouillon de mousseline ; le menton, au moindre mouvement de la mâchoire, faisait un extraordinaire effort pour rejoindre le nez qui, de son côté, y mettait de la complaisance. Un œil restait hermétiquement clos ; l'autre, vers qui remontait le coin de la lèvre et tendaient tous les plis du visage, brillait clair, embusqué derrière la pommette et semblait dire : « Attention ! Je suis seul, mais rien ne m'échappe. »
A. Gide, *Isabelle,* Gallimard, 1911

PAGE77 ANTIPHRASE ET IRONIE

1 Analyse de textes

1. Texte de La Bruyère. L'antiphrase exprimée dans la seconde phrase (sens : c'est intolérable) est préparée dans la première, satirique et indignée. Effets : révolte, antithèse brutale entre les nantis de l'époque et le peuple.

2. Texte de Voltaire. Dans ce texte célèbre, dont les effets sont l'indignation devant la stupidité guerrière et l'indifférence des responsables à l'égard des soldats massacrés, l'ironie se décode facilement, mot à mot : il faut chaque fois comprendre l'antonyme. Par exemple, *beau* (B) ramène à *laid* (A), *harmonie* (B) à *tintamarre* (A), *meilleur des mondes* (B) à *pire des mondes* (A), *coquins* (B) à *braves gens* (A). Malheureusement, la tuerie est si rationnelle que *leste, brillant, ordonné* n'ont pas d'antonymes. Ils sont les indicateurs tragiques de la révolte de Voltaire.

2 Utiliser l'antiphrase et l'ironie

1. Antiphrases et révolte

Un texte fameux de Platon peut ici servir de modèle :

En vérité, Ménexène, il semble qu'il y a beaucoup d'avantages à mourir à la guerre. On obtient en effet une belle et grandiose sépulture, si pauvre qu'on soit le jour de sa mort. En outre, on est loué, si peu de mérite que l'on ait, par de savants personnages, qui ne louent pas à l'aventure, mais qui ont préparé de longue main leurs discours. Ils ont une si belle manière de louer, en attribuant à chacun les qualités qu'il n'a pas, et en émaillant leur langage des mots les plus beaux, qu'ils ensorcellent nos âmes. Ils célèbrent la cité de toutes les manières et font de ceux qui sont morts à la guerre et de toute la lignée des ancêtres qui nous ont précédés et de nous-mêmes qui sommes encore vivants, un tel éloge que moi qui te parle, Ménexène, je me sens tout à fait grandi par leurs louanges et que chaque fois je reste là, attentif et charmé, persuadé que je suis devenu tout d'un coup plus grand, plus généreux, plus beau.
Platon, *Ménexène*

2. Ironie et paradoxe : éloge de la paresse

On pourra par exemple montrer que le travail aliène, crée des servitudes, empêche de profiter de la vie, que les revenus qu'il procure partent en impôts ou en dépenses ridicules (caméscope pour produire des films nuls, voiture trop puissante pour des vitesses partout limitées, etc.).

1 Procédés et écarts de style allégoriques

Procédés, écarts	Exemples	Effets
Personnification métaphorique des forces naturelles	L'espace qui se dilate, le vent déchaîné, la tempête dotée d'un cœur d'où « se ruait… la vie de la bête massive », les rafales à voix de taureau, le nuage furieux.	Atmosphère fantastique et redoutable.
Une mythologie particulière	Outre les personnifications signalées, il faut noter la redoutable apparition de Maître Dromiols, celle des « taureaux blancs », celle de la bête aux mille naseaux.	Symbolisme redoutable des instincts de mort et déchaînement des forces cosmiques.
Les métaphores filées	À partir de la métaphore initiale du souffle, celles de la respiration et des pulsations se construisent très logiquement. De même, la métaphore de la « bête massive » entraîne celles des naseaux, de la rafale mugissante et des taureaux qui meuglent.	On glisse d'une métaphore simple à des métaphores débridées et hyperboliques.
La caractérisation	Vocabulaire d'une richesse et d'une variété remarquables, notamment les adjectifs et les verbes.	Apparition d'images connotées. Effets d'hypotypose : le texte devient un tableau.
La rhétorique des phrases	Alternance de phrases simples ou complexes selon les besoins de la description, inversions, rythmes variés.	Impressions de désordre cosmique, de tumulte, d'agitation monstrueuse.

2 Rédiger un texte allégorique

Voici un étrange texte de Lautréamont, à forte charge allégorique :

Il est minuit ; on ne voit plus un seul omnibus de la Bastille à la Madeleine. Je me trompe ; en voilà un qui apparaît subitement, comme s'il sortait de dessous terre. Les quelques passants attardés le regardent attentivement ; car il paraît ne ressembler à aucun autre. Sont assis, à l'impériale, des hommes qui ont l'œil immobile, comme celui d'un poisson mort. Ils sont pressés les uns contre les autres, et paraissent avoir perdu la vie ; au reste, le nombre réglementaire n'est pas dépassé. Lorsque le cocher donne un coup de fouet à ses chevaux, on dirait que c'est le fouet qui fait remuer son bras, et non son bras le fouet. Que doit être cet assemblage d'êtres bizarres et muets ? Sont-ce des habitants de la lune ? Il y a des moments où on serait tenté de le croire ; mais ils ressemblent plutôt à des cadavres. Lautréamont, *Chants de Maldoror*, 1869

1 Images dans un poème de P. Eluard

1. Les images du texte sont d'essence surréaliste. Toutefois, *les cordes de l'arc-en-ciel* sont la métaphore des bandes colorées de cet arc-en-ciel et l'image de la femme mettant au monde son propre corps reprend une vieille idée : la femme assure la reproduction de l'humanité. Les *bulles de silence* sont métaphoriques : on imagine des sphères transparentes où règne le silence.

CORRIGÉS

2. La beauté des images surréalistes vient des connotations des mots qu'elles enchaînent et des associations neuves qui surgissent. Il faut les prendre à la lettre et pénétrer dans le monde surréel et ses référents imaginaires. Ainsi, selon les attitudes de la femme, l'eau devient drap ou fleur, puis la femme devient eau, terre, créatrice de silence, chanteuse cosmique omniprésente, procréatrice de l'identique. On le voit, toutes ces images sont entièrement fondées sur la dissociation sémantique entre le sujet et le prédicat et sur des hallucinations. Les trois derniers vers constituent une déception (le fait peut sembler dérisoire).

2 Création d'un poème

Corrigé inutile : il faut respecter l'expression pulsionnelle. Cependant, voici un exemple de passage du matériau brut à une expression en vers libérés :

Texte brut : La mandoline, écho à la porte du couloir, règne sur les chiens empalés. Tu as revu les éclairs broussailleux de la mine de sel et tu t'insurges pour l'espace.

Vers libérés : La mandoline a des échos dans le couloir/
Où crèvent des chiens empalés/
Agonie d'éclairs broussailleux/
Agonie de mine de sel/
Et tu t'insurges pour l'espace, etc./

PAGE 83 PHRASES SIMPLES ET PHRASES COMPOSÉES

1 Phrases de deux textes

Texte de Montaigne

Phrase 1 : composée, de construction régulière. Effet : symétrie.

Phrase 2 : simple, de construction régulière. Effet : informations claires.

Phrase 3 : simple, de construction régulière. Effet : ressemble à une maxime.

Phrase 4 : composée, avec deux propositions. La première est enrichie par expansion (addition et dédoublement), la seconde est courte et conclusive. Effets : variété des goûts de Montaigne, concrétisation.

Texte de G. Bataille

Phrase 1 : composée (4 propositions), de construction régulière. Expansion par addition (adjectifs). Répétition de *il y avait*. Effets : du récit à la description, ambiance désagréable.

Phrase 2 : complexe (3 propositions dont une relative). Première proposition : addition d'appositions. Seconde proposition réduite à une phrase de base. La relative correspond à un emboîtement. Effets : ils dépendent des connotations.

Phrase 3 : composée, de construction très régulière. Noter la répétition de *se perdait* (attention attirée sur le visage). Effet : portrait de l'irréelle Dorothea.

2 Rédiger un paragraphe

Ce texte de J.-M.G. Le Clézio montre quel parti on peut tirer des phrases simples ou complexes, parfois enrichies par expansion :

J'irai sur le port pour choisir mon navire. Voici le mien : il est fin et léger, il est pareil à une frégate aux ailes immenses. Son nom est Argo. Il glisse lentement vers le large, sur la mer noire du crépuscule, entouré d'oiseaux. Et bientôt dans

143

la nuit il vogue sous les étoiles, selon sa destinée dans le ciel. Je suis sur le pont, à la poupe, enveloppé de vent, j'écoute les coups des vagues contre l'étrave et les détonations du vent dans les voiles. Le timonier chante pour lui seul, son chant monotone et sans fin, j'entends les voix des marins...

J.-M. G. Le Clézio, Le Chercheur d'or, Gallimard, 1985

PAGE85 STYLE ET PHRASES COMPLEXES

1 Un texte de Rousseau

Voici le texte, découpé en propositions constitutives :

On ne m'a laissé/passer guère que deux mois dans cette île/, mais j'y aurais passé deux ans, deux siècles, et toute l'éternité, sans m'y ennuyer un moment/, quoique je n'y eusse, avec ma compagne, d'autre société que celle du receveur, de sa femme et de ses domestiques,/ qui tous étaient à la vérité de très bonnes gens, et rien de plus/ ; mais c'était précisément ce/qu'il me fallait/. Je compte ces deux mois pour le temps le plus heureux de ma vie, et tellement heureux/qu'il m'eût suffi durant toute mon existence, sans laisser naître un seul instant dans mon âme le désir d'un autre état/.

Le style du texte naît d'un accord intime entre la structure grammaticale et les signifi-cations, dénotées ou connotées.

— La première phrase, complexe, déroule six propositions. Chacune contient une information précise et importante. La compréhension est aidée par l'utilisation de deux antithèses (*deux mois/deux ans ; rien de plus/ce qu'il me fallait*) et d'une grada-tion ascendante (*deux ans... toute l'éternité*). Aucun adjectif mais quelques mots très connotatifs : *deux ans, éternité*, mis en valeur par la gradation, livrent les goûts de Rousseau pour la nature. *Receveur, domestique*, mots à connotations négatives à l'époque, sont ici valorisés par l'antithèse.

— La seconde phrase, complexe, comprend deux propositions. La principale, grâce à la répétition du mot *heureux*, valorise ce terme (connotation du bonheur simple, de la nostalgie). La conjonctive, d'allure décroissante, exprime le regret de l'auteur d'avoir dû quitter ce petit paradis.

2 Tranformation de phrases simples

Voici le texte transformé :

Dans la locomotive de l'express, sous cinquante tonnes de houille et d'acier, le chauffeur était pris, broyé par le milieu du corps, et tout brûlé. Mais, condamné à mort, il vivait encore, et il suppliait que quelqu'un vînt l'achever. Au prix d'efforts invraisemblables, le professeur, à travers les tôles ardentes et déchiquetées, s'est glissé jusqu'à lui avec de la morphine. Et il est resté auprès de l'homme plus d'une heure, à plat ventre, à demi cuit, étouffant dans l'oxyde de carbone, et comprimé sous les décombres. Quand le chauffeur souffrait trop, il lui faisait une piqûre dans la seule place qu'il pouvait atteindre : un poi-gnet.

M. Van Der Meersch, Corps et Âmes, Albin Michel

PAGE87 LES DÉPLACEMENTS

1 Déplacements libres, écarts

La première phrase est étonnante : le complément d'objet direct, la *frontière*, est a-normalement déplacé, comme c'est parfois le cas à l'oral, d'où la mise en valeur du mot. Par contre, le type emphatique implique normalement la postposition du sujet réel *(c'était un midi)*. L'écart vient de *l'été* : on n'attend pas ici ce complément de temps. Dernière remarque : la circonstancielle de temps précède la principale.

La seconde phrase, complexe, est d'abord très normative. Un seul déplacement : le complément de temps *au cours de l'histoire* est attendu à la fin. Ce déplacement, libre, met bien sûr l'expression en valeur.

La troisième phrase utilise deux propositions interrogatives où, très normalement, le sujet suit le verbe.

Quatrième phrase : rien à signaler.

2 Reconstitution de texte

Selon le schéma sujet + verbe + complément (ou attribut, ou adverbe) :

Un livreur l'a déposé, avec sa camionnette, là sur le bord de la route, devant la cafétéria, où il venait livrer des boules de chewing-gum et des chocolats. Il s'est laissé prendre déjà. Une voiture ralentit devant lui. Il balance son sac sur l'épaule. Il se met à courir et il s'arrête, penaud, dix mètres plus loin, en plein élan. Quelqu'un freinait, tout simplement, pour entrer dans le motel.

Selon un schéma qui admette les déplacements :

Depuis deux heures qu'un livreur de confiseries l'a déposé là avec sa camionnette, sur le bord de la route, devant la cafétéria où il venait livrer des boules de chewing-gum et des chocolats, il s'y est déjà laissé prendre : une voiture ralentit devant lui, il balance son sac sur l'épaule, se met à courir et s'arrête dix mètres plus loin, penaud, en plein élan. C'était tout simplement quelqu'un qui freinait pour entrer dans le motel. R. Debray, *La Frontière*, Éd. du Seuil, 1967

PAGE89 LA COMPARAISON

Les comparaisons dans un texte de Proust

1. Analyse des comparaisons (questions 1 et 2)

Comparés	Comparants	Mots outils de comparaison	Sèmes communs
princesse	grande déesse... inférieures	comme	femme, recul, distante
canapé	un rocher de corail	comme	rouge
large réverbération... glace	quelque section... eaux	faisait penser à	reflets, réfractions
une grande fleur blanche à la fois	certaines floraisons marines		aspect d'une fleur
plume et corolle		ainsi que	
une grande fleur blanche duvetée	une aile	comme	duvet

Comparés	Comparants	Mots outils de comparaison	Sèmes communs
une grande fleur blanche	l'enfermer à demi	semblait	ligne courbe presque fermée
une de ses joues	un œuf rose	comme	forme ovoïde, couleur

2. Le filage des comparaisons

Une « baignoire » à l'Opéra incite Proust à utiliser une suite de comparaisons marines pour évoquer la princesse. Ce filage commence avec le rapprochement du canapé et du corail : le thème marin vient d'apparaître. Il est illustré par la longue comparaison des effets de la glace et de ceux des eaux. Avec la « grande fleur blanche », on revient à la princesse-déesse. Si cette fleur est *plume* et *corolle* (métaphores), elle évoque aussitôt la mer (« ainsi que certaines floraisons marines ») et l'aile suggérée est celle d'un oiseau des mers, le légendaire Alcyon. Enfin la joue harmonieuse, amoureusement soulignée par la fleur, fait penser à un œuf délicat. D'Alcyon évidemment.

PAGE 91 LE PARALLÉLISME

1 Analyse des parallélismes

1. Tableau

Textes	Parallélismes	Type
Rabelais	*Les uns...les autres...Sainte Barbe...Bonnes Nouvelles*	Répétition de structures syntaxiques, ici des sujets et des C.O.D.
	Les uns se vouaient à saint Jacques, les autres... *...Chambéry*	Opposition *uns/autres* et répétition du terme complément
	Les uns mouraient... *...mourant*	Répétition de la structure syntaxique sujet + verbe + complément
		Chiasmes : *mouraient* (A) *sans parler, parlaient* (B) *sans mourir* (A) ; *mouraient* (A) *en parlant* (B), *parlaient* (B) *en mourant* (A).
Frères Goncourt	*Ils descendaient, passaient... longeaient...mangeaient... arrivaient*	Répétition de la structure simple sujet + verbe + complément
	...les débits...blanc	Quatre C.O.D. se succèdent = répétition de structure
	d'hommes, de femmes, d'enfants/ *des pommes de terre frites, des moules et des crevettes/*	Deux triades en parallèle
	premier...premier	Parallélisme par répétition
Anonyme	*Métro, boulot, dodo*	Célèbre triade fondée sur le parallélisme du rythme 2 + 2 + 2, de la rime (o), de la nature des mots (= trois noms)

2. Pourquoi ces parallélismes ?

– Rabelais recherche un effet comique malgré la situation tragique : l'éviction des soudards de Picrochole par les moines de l'abbaye de Seuillé. La punition est systématiquement rythmée par ces parallélismes et ces chiasmes. Comme le démontrera plus tard Bergson, le mécanique « plaqué sur du vivant » déclenche le rire. D'autant mieux ici que l'humour accroît l'effet guignolesque : on voit mal la différence entre *mourir en parlant* et *parler en mourant* !

– Les frères Goncourt entendent décrire une promenade vers les fortifications, les célèbres fortifs parisiennes. Les parallélismes soulignent la répétitivité de la promenade, le grouillement des petits commerces et de la foule. La répétition finale affirme le contraste entre cette agitation suburbaine et l'apparition tant attendue de la campagne.

– Le célèbre slogan est fondé sur l'économie des moyens : il se mémorise très facilement.

2 Compléter un texte

Voici le texte complété :

Le voyageur marche, et la lande est brune
Une ombre est derrière, une ombre est devant
Blancheur au couchant, lueur au levant
Ici crépuscule, et là clair de lune

Je ne sais plus quand, je ne sais plus où
Maître Yvon soufflait dans son biniou

V. Hugo, *Choses du soir*

PAGE93 LA RÉPÉTITION

1 Répétitions dans un texte de J. Prévert

1. Analyse des répétitions

Prévert utilise systématiquement la symploque. En effet, le début des propositions successives est anaphorique (*qui vivront* répété 3 fois, *qui auront* répété 3 fois) et leur fin épiphorique (*malheureux* répété 3 fois, *beaucoup d'enfants* répété 8 fois). Au-delà de la symploque, les répétitions vont jusqu'au ressassement. Dans les vers 13 à 19, l'anaphore domine avec l'impératif *tournez*. Noter aussi la répétition de *filles* (3 fois).

2. Les effets des répétitions

C'est un monde d'aliénation que vise Prévert : les sardinières sont réduites à un état de procréatrices et les excès démographiques ont pour effet la misère, répétée de génération en génération. La disposition en vers accroît les effets répétitifs jusqu'à une tragique ritournelle du malheur inéluctable.

2 Un monologue

Voici un exemple de monologue fondé sur la répétition :

Bon Dieu, Richard a froid (*enfile un manteau*). Bon Dieu, Richard crève de chaud (*retire le manteau*). Bon Dieu, il claque des dents et en même temps la sueur lui coule sous les bras (*remet et retire le manteau*). En sorte qu'il ne sait plus à quel saint se vouer (*déchire le manteau*). En vérité Richard n'a ni chaud ni froid. En vérité, si Richard tremble et sue, c'est qu'il a peur.

B. Chartreux, *Cacodémon roi,* Éd. Derives-Solin D.R., 1984

3 Un titrage répétitif

Surtitre   Qui mange qui ?
Titre   LE MONDE INQUIÉTANT DES PRÉDATEURS
Sous-titre   Nous sommes partie prenante !
Chapeau   Les néophytes que nous sommes aimeraient bien connaître celui qui
mange celui qui mange, celui qui empêche de manger celui qui désire
manger, celui qui mange celui... etc.

PAGE 95   L'EXPANSION

Un texte de Baudelaire
1. Classement des expansions

Phrases	Expansions	Types d'expansion
1	La poésie et le progrès	Dédoublement
	qui...instinctive	Emboîtement + addition (instinctive)
	haïssent...haine	Répétition
	l'un des deux	Emboîtement
2	S'il est permis...	Forme impersonnelle
		(fonction expansive)
	fonctions	
	Supplanté ou corrompu	Dédoublement de terme (le verbe)
	naturelle	Addition
	qu'elle trouvera...	Emboîtements (relative + complément
	...multitude	de nom)
3	Il faut donc	Forme impersonnelle
		(fonction expansive)
	véritable	Addition
	qui est d'être...arts	Emboîtement (= une relative)
		+ répétition et gradation (la servante, la
		très humble servante)
	humble	Addition
	l'imprimerie et la sténographie	Dédoublement
	ni créé ni suppléé	Dédoublement

2. Les effets des expansions

Dans ce texte très polémique, emboîtements et dédoublements apportent nombre de
précisions ou de traits satiriques (phrase 2 : qu'elle trouvera dans la sottise de la multitude). Les répétitions et les deux tournures impersonnelles créent une redondance un
peu lourde (exemple : l'un des deux) mais que l'auteur semble juger nécessaire à la
persuasion. On remarquera le petit nombre des additions (quatre adjectifs épithètes).

PAGE 97   LES ÉCARTS D'EXPANSION

1 Un texte de La Bruyère
1. Les écarts d'expansion

Écarts	Classification
Diphile commence...mille	Gradation ascendante
La cour...le cabinet	Énumération
lui-même il est oiseau...qu'il couve	Gradation ascendante

2. Les effets

Les deux gradations ascendantes ont une telle outrance satirique qu'après avoir provoqué le sourire elles le figent au moment où la passion dénoncée se transmue en une véritable psychose. L'énumération a un effet similaire : c'est vraiment la totalité de l'espace qu'occupent les oiseaux de Diphile.

2 Compléter des textes

Texte 1 : Voici le texte de Pichette, en partie restitué :

« Néanmoins, la vie sera élucidée.
Car à vingt ans tu optes pour l'enthousiasme, tu vois rouge, tu ardes, tu arques, tu astres, tu happes, tu hampes, tu décliques, tu éclates, tu ébouriffes, tu bats en neige, tu rues dans les brancards, tu manifestes, tu lampionnes, tu arpentes la lune, tu bois le lait bourru le vin nouveau l'alcool irradiant, tu déjeunes à la branche, tu pars à la découverte, tu visites l'air des champs les ruines les métropoles (…).
À quarante ans je te retrouve rongeant ton frein, tu fondes sur la sympathie, il y a un cerne noir à toute chose, tu déshabilles du regard, tu convoites, tu prémédites, tu disposes tes chances, tu te profiles, tu places ton sourire tes phrases tes bouquets tes collets tes canapés, tu estimes, tu escomptes, tu commerces, tu carbures à prix d'argent, tu te pousses dans les milieux, tu médis du tiers et du quart ou fais du plat selon le rang, tu arroses (…).
À soixante ans tu dates, tu radotes, tu perds la main l'ouïe tes dents, le cœur te faut, les jambes te flageolent, tu tombes en faiblesse, encor un peu et tu retombes dans une enfance touchée à mort. » H. Pichette, *les Épiphanies,* Éd. Gallimard, 1947

Texte 2 : Voici le texte de Le Clézio :

Sur son plateau il avait pris : une assiette de tomates coupées en tranches, parsemées de persil. Un œuf mayonnaise. Une assiette contenant un morceau de poulet rôti (cuisse) et des pommes de terre frites. Un verre d'eau. Un yaourt. Trois sachets de sucre en poudre. Un quignon de pain rassis. Un couteau, une fourchette, une cuiller à soupe, une cuiller à café. Une serviette en papier fin sur laquelle il y avait écrit : « Bon appétit ! » ou quelque chose de ce genre. Un bout de papier où on pouvait lire :

LE ROYAL SELF-SERVICE
* 80
* 120
* 550
* 80
* 15
* 20
* 865

Besson essaya d'avaler les tomates et de couper le poulet. Mais la nourriture était hostile, elle glissait sur l'assiette, refusait d'être mâchée ou avalée. L'eau coulait du verre sur le menton, comme si un farceur avait percé un trou dans le récipient.
L'œuf dérapait dans la mayonnaise, et le poulet bougeait. Tout était répugnant, cadavre mal cuit, racines mortes, goût de terre, et peut-être même déjà d'excrément.

J.-M. G. Le Clézio, *Le Déluge,* Gallimard, 1966

1 Un texte de A. Ernaux

1. Ellipses et asyndètes

Dans les phrases 1, 4 et 5, l'auteur utilise l'ellipse du sujet et du verbe et aboutit donc à des phrases nominales. L'asyndète est systématiquement employée : suppression de la conjonction *et* dans la phrase 1, de la conjonction *donc* dans la phrase 2, des conjonctions *parce que* et *donc* dans la phrase 4, de la conjonction *et* dans la phrase 5.

2. Les effets

Ces ellipses et ces asyndètes transforment les phrases en une suite de notations, de souvenirs déterminants et pathétiques. Il s'agit d'une écriture pudique, comme en deçà, faite de retenue et du refus des débordements emphatiques ou lyriques. Toutefois, le procédé est un peu facile et la littérature contemporaine en abuse.

2 Transformation de texte

Sur la route qui suit le cours ondulant de la Vézère, les touristes appliqués vérifient que le paysage est conforme à la description du guide : beau et même grandiose. Ils sont de passage, indifférents aux drames de la vallée. Malheureusement, à la fameuse papeterie de X, sur 1 200 emplois, 300 vont être supprimés.

Les différents types d'oppositions (trois textes)

Auteurs	Textes	Oppositions	Effets
Corneille	• De quoi qu'en…entretienne/ Ma générosité…tienne	Opposition entre circonstancielle d'opposition et la principale.	Le devoir s'impose contre l'amour, d'où ces antithèses et ce paradoxe des vers 3 et 4.
	• En m'offensant/digne de moi ; par ta mort/ digne de toi	Antithèses.	
Pascal	Quel monstre, quel… contradiction/quel prodige	Antithèses par opposition d'exclamations. Quelques antonymes : *dépositaire/cloaque* ; *gloire/rebut*.	Ces antithèses systématiques mettent en évidence la condition humaine selon la dialectique chrétienne pascalienne : l'homme est un être et un lieu de contradictions.
Ducharme	On ne naît pas en naissant On naît…tard/conscience d'être Je suis né/vers l'âge de cinq ans à cet âge/on a souvent un passé papillon/buffle	Antithèse et paradoxe. Antithèse proche d'une oxymore. Antithèse + paradoxe + oxymore. Antithèse + paradoxe + oxymore. Antithèse.	Le texte se fonde sur le paradoxe et la polysémie de *naître* (naître biologiquement ou naître à la conscience), exploités dans une suite d'antithèses à connotations philosophiques.

PAGE 103 LES RUPTURES

1 Les ruptures de syntaxe et leurs effets

Texte 1 : anacoluthe par changement de sujet (on attend *ils*) : mise en valeur du paradoxe et du mot vieillard.

Texte 2 : syllepse puisque *à cinquante ans* devrait se rattacher à *beaucoup*. Cette rupture souligne l'antithèse : il a cinquante ans mais il paraît en avoir quarante.

Texte 3 : les premiers mots — *le plus grand philosophe du monde* — semblent assumer le rôle de sujet dans une proposition principale vite coupée par trois subordonnées. Mais, c'est la surprise, le sujet attendu « il » est abandonné au profit du terme *imagination*, comme si cette faculté annihilait celui... qui la détient. La syllepse double donc l'idée essentielle : l'imagination l'emporte sur la raison.

Texte 4 : voici un cas d'interruption. Cyrano arrête Le Bret en coupant court à ses prévisibles raisonnements, vite réduits à des grognements : la raison raisonnante un peu mesquine contre le romantisme !

Texte 5 : bel exemple de zeugma qui joue sur la polysémie du verbe *tomber* : on peut *tomber*, c'est-à-dire mourir, ou *tomber* dans l'oreille d'un sourd. Les effets ? La cocasserie, la rupture humoristique qui déclenche le rire, l'esprit de dérision contre la guerre inutile.

Texte 6 : encore un zeugma, très facile à réaliser, de type humoristique puisque celui qui s'exprime ainsi feint d'ignorer les règles de la logique.

2 Continuer un texte

Voici la suite et la fin du poème :

Un jour si nuit que ne sais plus
Où c'est que cela s'est passé,
Mon corps trembler, la chair à nu.
— Le soleil luire.

Et puis maman s'est étendue
Sur un grand lit de blanc tendu ;
Alors grand frère s'en est allé
Vêtu de plomb la retrouver.
— Le soleil luire.

Après l'amour et le désir

Encore un temps dans le désert
Après l'amour aux sables verts
D'un beau mirage en vain courir.
— Le soleil luire.

Un jour banal de l'avenir
Comme tous les autres mourir
« C'était un homme solitaire
Que nous allons porter en terre ;
Vous savez : il faisait des vers. »
— Le soleil luire.

A. Clarté, « Blues », *les Poètes de la vie*,
Buchet-Chastel, 1945

PAGE 105 L'EXPRESSION PASSIONNELLE

1 Un texte de J. Vallès

1. Hormis trois phrases narratives et descriptives (phrases 2, 13, 14), le texte est constitué d'une conversation tragique à l'époque de la Commune de Paris. Deux questions seulement : la première pour identifier l'auteur narrateur, la seconde, aux connotations tragiques : il faut le fusiller de suite, ici. Dans cette atmosphère, les exclamations dominent et se succèdent. Les unes, qui semblent émaner de la troupe des Communards, sont surtout elliptiques (phrases 3, 5, 6, 8, 11, 12) et même réduites aux deux mots lourds de menaces : *Un mouchard* (3) !, *au mur* (11 et 12). Elles traduisent la surexcitation générale et la violence. Les deux phrases excla-

matives complètes émanent des deux seuls acteurs qui cherchent à raisonner : un des Communards et l'auteur lui-même : la normalité de la syntaxe correspond donc à une attitude non passionnelle. Noter le juron familier *sacrelotte* pour marquer la révolte et l'agacement de Vingtras.

2. Isolément, chaque phrase exclamative ou interrogative est normale. Les écarts naissent de leur répétition (phrases 5, 6, 11, 12) ou de leur succession haletante.

2 Rédiger un texte

Dans ce texte de Baudelaire, imprécations et sarcasmes interfèrent. Pris ensemble, ils constituent aussi une longue lamentation :

Ton épouse, ô Bourgeois ! ta chaste moitié dont la légitimité fait pour toi la poésie, introduisant désormais dans la légalité une infamie irréprochable, gardienne vigilante et amoureuse de ton coffre-fort, ne sera plus que l'idéal parfait de la femme entretenue. Ta fille, avec une nubilité enfantine, rêvera dans son berceau qu'elle se vend un million. Et toi-même, ô Bourgeois, — moins poète encore que tu n'es aujourd'hui — tu n'y trouveras rien à redire ; tu ne regretteras rien. Car il y a des choses dans l'homme, qui se fortifient et prospèrent à mesure que d'autres se délicatisent et s'amoindrissent, et, grâce au progrès de ces temps, il ne te restera de tes entrailles que des viscères ! — Ces temps sont peut-être bien proches ; qui sait même s'ils ne sont pas venus, et si l'épaississement de notre nature n'est pas le seul obstacle qui nous empêche d'apprécier le milieu dans lequel nous respirons !   Baudelaire, *Mon cœur mis à nu*

PAGE 107 LE TEXTE EXPLICATIF

Étude de deux textes

1. Structure des définitions et des explications

Hugo définit *l'endroit bon à la pêche* en l'incluant dans la catégorie des lieux marins mobiles (vers 3) et en le caractérisant longuement (vers 3, 4, 5). Il insiste sur les difficultés de sa localisation (vers 6, 7, 8) et les calculs nécessaires. L'explication consiste ici dans l'expansion de la définition et dans la peinture d'un environnement très hostile.

La définition de l'acte gratuit par le garçon de café répond aux quatre critères : l'inclusion dans une catégorie (catégorie des actes, par opposition aux simples intentions), la caractérisation (écarter le contresens, définir l'acte gratuit comme l'acte sans motivation...), la finalité (prouver sa liberté), la technique (comment faire ?). Cette définition n'est pas laconique : la longue caractérisation de l'acte gratuit et les procédés rhétoriques employés font glisser le lecteur d'une simple définition à une explication.

2. Les moyens stylistiques

Hugo multiplie les épithètes à peu près synonymiques dans le vers 3, sur le thème de la mobilité du lieu de pêche. Les métaphores du *point* et du *désert mouvant* sont liées à la grande antithèse explicative : lieu exigu/immensité de la mer déchaînée. Les deux phrases sont des périodes ascendantes. La première inclut la gradation du vers 3, la seconde prend le type exclamatif. En d'autres termes, Hugo sait conjuguer les fonctions référentielle, métalinguistique, expressive et poétique.

Gide a choisi l'expression dialoguée d'idées philosophiques. Le garçon de café s'exprime au niveau familier mais son vocabulaire, à part le plaisant *miglionnaire*, est précis. Il pratique avec bonheur la synonymie explicative et, comme c'est le cas à l'oral, use de répétitions (*gratuit, action, acte*). Les questions — vraies ou fausses — rendent le texte conatif. Les fonctions métalinguistique et référentielle sont présentes dans le vocabulaire de la caractérisation.

PAGE109 LE TEXTE ARGUMENTATIF

1 Un texte de Montesquieu

1. Deux catégories d'arguments apparaissent : dans le premier paragraphe, Montesquieu utilise la causalité (ex. : la monarchie n'exige pas la probité des sujets puisque la « force des lois contient tout »), dans le second les vérifications historiques (sans vertu politique, l'Angleterre a cherché en vain la démocratie) avec précisions sur le jeu des causes et des effets.

2. La disposition est rigoureuse et logique. Dans le premier paragraphe, aux assertions de la première phrase succèdent les arguments fondés sur la causalité. Dans le second, l'exemple historique est précédé d'un jugement de valeur.

3. La composition est très ordonnée mais chaque phrase est autonome, surtout dans le premier paragraphe. La rhétorique use aussi des parallélismes (*force des lois dans l'un/bras du prince dans l'autre*), de l'antithèse (la démocratie et la vertu nécessaire opposées aux deux autres formes de gouvernement, de l'insistance (*il faut... qui est*) de l'accumulation (*comme aux... d'une autre*) qui double le rythme croissant de la période (dernière phrase). On le constate, les écarts sont surtout syntagmatiques, hormis l'exception de l'ironie dans l'expression *assez beau spectacle*. Noter aussi que l'impression de VERTU en gros caractères est voulue par Montesquieu.

2 Rédiger un texte argumentatif

Voici un texte de F. Jacob :

Cette froideur et cette objectivité qu'on reproche si souvent aux scientifiques, peut-être conviennent-elles mieux que la fièvre et la subjectivité pour traiter certaines affaires humaines. Car ce ne sont pas les idées de la science qui engendrent les passions. Ce sont les passions qui utilisent la science pour soutenir leur cause. La science ne conduit pas au racisme et à la haine. C'est la haine qui en appelle à la science pour justifier son racisme. On peut reprocher à certains scientifiques la fougue qu'ils apportent parfois à défendre leurs idées. Mais aucun génocide n'a encore été perpétré pour faire triompher une théorie scientifique. F. Jacob, *Le Jeu des possibles,* Fayard, 1987

PAGE111 LE TEXTE INJONCTIF

1 Un extrait d'*Ubu Roi*

1. La fonction prépondérante est la fonction conative puisque, par définition, elle est centrée sur le destinataire et que, dans ce texte, Ubu donne des ordres brutaux.

2. Les injonctions « chaudes » utilisées sont de trois types parce qu'elles correspondent à trois catégories de rapports de force : Ubu, dictateur omnipotent, donne des ordres impératifs et fous (il va faire exécuter les Nobles), Mère Ubu ne peut qu'opposer une prière (*de grâce !*) et les Nobles un appel désespéré au peuple et à l'armée.

2 Un texte publicitaire

1. Ce texte publicitaire est évidemment « chaud » puisqu'il offre aux lecteurs une gamme de pneus adaptés à des conduites différentes. Il s'agit de convaincre en séduisant... La première phrase, elliptique, les trois autres, très conatives et répétitives, les noms en fonction d'épithètes (*confort, harmonie*) constituent une rhétorique « chaude ».

2. Les « directives » sont dissimulées : il faut donner au lecteur l'impression qu'il a tous les pouvoirs, d'où les verbes *vous pouvez* et *choisir* ou *choisissez*, le troisième étant d'ailleurs plus pressant que les deux premiers.

3 Un texte injonctif

Voici un texte de Michel Serres :

Donc il existe une hygiène, oui, une diététique de l'œuvre. Les sportifs de haut niveau vivent comme des moines et comme ces athlètes les créateurs. Cherchez-vous à inventer ou à produire ? Commencez par le gymnase, les sept heures régulières de sommeil et le régime alimentaire. La vie la plus dure et la discipline la plus exigeante : ascèse et austérité. Résistez férocement aux discours ambiants qui prétendent le contraire. Tout ce qui débilite stérilise : alcool, fumées, veilles longues et pharmacie. Résistez non seulement aux drogues narcotiques, mais surtout à la chimie sociale, de loin la plus forte et donc la pire : aux médias, aux modes convenues. Tout le monde dit toujours la même chose et, comme le flux de l'influence, descend la plus grande pente ensemble.

M. Serres, *Le Tiers-instruit*, Éd. F. Bourin, 1991

PAGE 113 LE TEXTE DESCRIPTIF

1 Un texte de B. Manciet

1. Le narrateur semble décrire le feu depuis un lieu fixe, en panoramique : d'abord de bas en haut, jusqu'aux cimes dévorées, puis en surface et en hauteur (*il n'y a plus de ciel*). Quand le feu est au bas d'une pente, il faut rapidement fuir.

2. B. Manciet utilise la focalisation zéro, celle d'un narrateur omniprésent qui a une longue expérience des incendies de forêts, d'où le futur prochain et les injonctions de la dernière phrase. Remarquer aussi les procédés d'implication du lecteur : *il vous lèche les troncs, il faut fuir.*

3. L'auteur utilise trois types d'écarts de style :

— De nombreuses métaphores sont suscitées par la comparaison du feu à une bête : le feu *saute, grimpe, lèche les troncs, court* sur les cimes, *s'en prend* aux jeunes pins, *s'en sert de torches*... Il y a donc filage. Autres métaphores : *bruit d'ouragan et de citernes vides, les crêtes* (= les cimes), *suivent dans sa marche* (= métaphore + hyperbole). Ces métaphores, optiques et agressives, ajoutent au tragique de la situation.

— Trois comparaisons : *le feu se secoue comme une bête, les cares sont comme hérissées, s'en sert de torches* (les jeunes pins). Ces comparaisons sont intimement liées aux métaphores puisque la première les nourrit et que les deux autres dépeignent des effets fantastiques du feu.

— Les gradations sont présentes de la première à la dernière phrase. *Rien de plus… normal* : elles suivent l'avancée inexorable du feu, se propagent parfois de phrase en phrase (phrases 3, 4, 5, 6), comme le feu de buisson en buisson.

4. Dans la mesure où le feu s'avance dangereusement, monte très haut, oblige par-fois à la fuite, la description est en même temps un récit. Mieux, cette description, on le comprend, synthétise des récits d'incendie, des expériences de l'auteur. Et puis le texte ne commence-t-il pas par des paroles rapportées ?

2 De la géographie à la littérature

Le texte suivant offre un exemple de description poétique en focalisation interne :

La neige prêtait à cette forêt basse et rustaude de l'Ardenne un charme que n'ont pas même les futaies de montagne, ni les sapinières des Vosges sous leurs chandelles de glace. Sur les ramilles courtes et roides de ses taillis, où le vent n'avait pas de prise, les chenilles blanches s'accrochaient pendant des semaines sans s'écrouler, soudées à l'écorce par de minces berlingots de glace qui étaient les gouttes du dégel reprises toutes vives par le froid des nuits longues : des jours entiers, dans l'air décanté par le gel, le Toit s'encapuchon-nait des housses, des paquets légers et lourds, des fils de la Vierge et des longs filigranes blancs d'un matin de givre. Un ciel d'un bleu violent éclatait sur le paysage de fête. L'air était acide et presque tiède ; à midi, quand on marchait sur la laie, on entendait de chaque layon, dans les tombées de soleil qui fai-saient étinceler la neige, monter le gras bruit d'entrailles du dégel, mais dès que l'horizon de la Meuse rosissait avec la soirée courte, le froid posait de nou-veau sur le Toit un suspens magique : la forêt scellée devenait un piège de silence, un jardin d'hiver que ses grilles fermées rendent aux allées et venues de fantômes.   J. Gracq, *Un balcon en forêt*, J. Corti, 1958

PAGE 115 LE TEXTE NARRATIF

1 Texte de P. Magnan

1. La narration est de type linéaire. Toutefois, un retour en arrière a lieu, lié à la foca-lisation interne (les événements vus et évalués par Séraphin) : « Quelqu'un s'était mussé… écouté ».

2 et 3. On peut réécrire ce texte au présent, mais en partie seulement. Le présent historique remplace sans difficulté tous les passés simples. L'imparfait dans *s'il fai-sait partie* doit subsister car il exprime l'antériorité et la condition par rapport au temps de la principale. Par contre, les autres imparfaits sont facilement remplaçables par le présent puisqu'il est duratif. Le subjonctif passé de la proposition circonstan-cielle de temps *avant que Marie… geste* peut subsister (expression d'un fait non réel) ou céder la place à un subjonctif présent (le subjonctif est obligatoire après *avant que*). Les plus-que-parfaits (*s'était mussé, avait séjourné, avait écouté*) sont rem-plaçables par des passés composés (actions accomplies).

2 Inventer une fiction

1. Voici une fiction simple, résumée de manière chronologique :

E1   Une jeune journaliste, qui cherche du travail, apprend qu'une revue hippique vient d'être créée à X. L'adresse est donnée mais pas le numéro de téléphone.

E2   Elle envoie un curriculum vitae et une lettre de demande d'entretien.

E3   Pas de réponse. Elle décide de se rendre sur place.

E4   Arrivée sur place, elle se renseigne. Personne ne connaît le siège de la revue, ni la revue.

E5   Enfin, un homme sur un tracteur lui indique que c'est peut-être cette bâtisse, là-bas, au fond du parc.

E6   Elle sonne et tente de s'expliquer. Un homme, furieux, lui reproche d'attenter à sa vie privée, lui signale qu'il ne reçoit que dans son bureau, lui ferme la porte au nez.

E7   La jeune femme cherche le bâtiment administratif, le trouve, entre.

E8   Elle signale à une secrétaire qu'elle aimerait rencontrer le Directeur.

E9   Voici qu'elle aperçoit l'homme qui l'a rabrouée : c'est le Directeur.

E10   Elle attend qu'il veuille bien la recevoir.

E11   Réception : conversation sur un emploi possible.

2. Schémas narratifs possibles : on pourrait avoir :
— E4, retour en arrière avec E1, E2 et E3, reprise de l'histoire de E5 à E11 ;
— E10, E11, retour en arrière de E1 à E9.

PAGE 117 LE DIALOGUE

1 Un texte de Molière

1. Le dialogue, surtout au début, informe sur l'action puisque Scapin apprend à Géronte que son fils a été capturé par des Turcs, qu'ils le tiennent prisonnier sur une galère et qu'ils demandent une rançon de 500 écus. On peut douter que la démarche suggérée à Scapin (se mettre à la place du fils) aboutira à une action.

Les caractères percent dans les paroles de chaque protagoniste. Scapin est rusé : il essaie d'obtenir les 500 écus en jouant de la fibre paternelle et en excusant le fils. Il n'est pas dépourvu de sens critique : *la justice en pleine mer ! Vous moquez-vous des gens ?* Géronte est probablement avare (*cinq cents écus ?... M'assassiner de la façon*). Le stratagème grossier qu'il prévoit à l'égard de Scapin, sa menace d'envoyer la justice, sa question répétée — *que diable allait-il faire dans cette galère ?* — montrent son avarice, son faible amour paternel, sa perversité et sa bêtise.

2. Molière utilise plusieurs moyens stylistiques propres au théâtre. Ce sont :
— les séries d'exclamations et d'interrogations qui marquent le bouleversement affectif chez Géronte, ponctuées de lamentations, d'imprécations (*le pendard de Turc !*) et de jurons (*diantre ! que diable*) ;
— les répétitions de mots qui soulignent ses émois (*va-t-en Scapin, va-t-en ; il faut, Scapin, il faut*) et la recherche d'une solution ;
— le procédé du « mécanique plaqué sur du vivant » : Géronte répète mécaniquement la fameuse question : *Que diable... galère ?*
— l'ironie de Scapin : *un fils que vous aimez avec tant de tendresse* signifie l'inverse !

2 Prolonger un dialogue

Voici la suite du dialogue :

— Un poème de Lamartine sur les cimetières.

— Ah ! oui, dit la mère... Et c'est Blueberry qui t'a noirci la figure et donné cette odeur de feu de cheminée ?

Il hésitait. Il sentait autour de lui le frôlement liquide et doucereux du regard de sa mère.

— Normalement ils arrêtent le chauffage en avril, man. Aujourd'hui il faisait tellement froid qu'on l'a remis. Personne n'arrivait à lire. Et c'est moi qui m'en suis occupé.

— Je vois ça, dit la mère. Et je peux sentir aussi.

Elle prit une gorgée de café, une gorgée minutieuse, elle avala sans bruit.

— Comme d'habitude c'est moi qui porte tout, soupira-t-elle, absolument tout.

Y. Queffélec, *Prends garde au loup,* Julliard, 1992

INDEX

Édition : Gaëlle Mauduit – Laurence Accardo – Sébastien Le Jean
Fabrication : Maria Pauliat
Coordination artistique : Danielle Capellazzi
Maquette : Studio Primat, Ulrich Meyer
Maquette de couverture : Evelyn Audureau – Alice Lefèvre

Impression & brochage **sepec** - France
Numéro d'impression : 06601130705
Dépôt légal : juillet 2013
Numéro de projet : 10193133 - Axiome

IMPRIM'VERT®